いま読む！名著

鶴見俊輔『日常的思想の可能性』を読み直す

松井隆志
Takasi MATUI

流されながら抵抗する社会運動

現代書館

いま読む！名著

流されながら 抵抗する 社会運動

鶴見俊輔『日常的思想の可能性』を読み直す

✲

目次

序章

なぜ「鶴見俊輔と社会運動」なのか

「社会運動の時代」としての二〇一〇年代以降

この約一〇年、つまり二〇一〇年代以降は、世界的に社会運動が目立つ時代だったと言える。

今から半世紀以上前、「一九六八年」に代表される一九六〇年代もまた、社会運動が興隆した時代として記憶されている。それ以降、もちろん世界中の運動が死に絶えたわけではない。六〇年代以前に社会運動が存在しなかったわけではないのと同様、それ以後も地道に、時に派手に、各地で社会運動は繰り広げられてきた。ただ、東欧革命や中国の天安門事件があった一九八九年を除けば、グローバルに見て「社会運動の時代」と呼ばれ得る時期はなかなか現れなかった。

しかし二〇一〇年代は、「オキュパイ」のグローバルな連鎖で幕を開けた。前年末のチュニジアの「ジャスミン革命」に触発されて、二〇一一年初頭にエジプトで民衆運動が広がる。タハリール広場に人びとが集まり続けることで二月に独裁政権が打倒された。広場を占拠する（オキュパイ）ということの「スタイル」は、同年五月スペインの15M運動に引き継がれる。やがてアメリカのニューヨークで、二〇一一年九月から「ウォール街を占拠せよ（Occupy Wall Street）」運動が始まると、「オキュパイ」は二〇一〇年代前半を彩る固有名詞となり、世界中に拡散した。

その後、二〇一四年三月の台湾立法院を学生たちが占拠した「ひまわり運動」、同年九月に香港の金融街を封鎖した「雨傘運動」、二〇一六-七年のソウルの「キャンドル集会」など、明示的に「オキュパイ」とは呼称されなかったものも含め、これらは「オキュパイ」の連鎖が東アジアにも広がった現象として見ることができる。*1

一方、二〇一〇年代前半期の「オキュパイ」運動が、既成秩序を揺さぶる運動だったとすれば、後半期はその流動的な状況自体が運動発生の背景となった。典型的には、アメリカでのトランプ大統領の登場だ。ドナルド・トランプは、二〇一六年の大統領選挙で「ラスト・ベルト（さびついた工業地帯）」と呼ばれる没落した白人労働者層地域の票を集め、予想外の勝利を得た。イギリスの「EU離脱（Brexit）」の国民投票（二〇一六年六月）と並び、「ポピュリズム」を印象づけた。同時に、トランプの差別・排外主義的な言動・政策は、アメリカや世界で広範な反対運動を惹起した。

もちろん「オキュパイ」以来の攻防も継続中である。フランスでは二〇一八年一一月から、「黄色いベスト」運動と呼ばれる激しい反政府運動が起きた。また香港では、二〇一九年六月以降の大陸中国への容疑者引き渡し条例への反対運動から激しい民主化運動が続き、警察の暴力も含めて世界中に知れ渡った。

また、気候変動への取り組みを世界に求める運動（気候運動）も、急激に広まっている。二〇一八年八月に一人でキャンペーンを始めた一五歳（当時）のグレタ・トゥーンベリは、「今年の人」として二〇一九年末の月刊『タイム』の表紙を飾るに至った。二〇二〇年代に入っても、絵画に液体をかけるなどの直接行動のニュースが続いている。

このように二〇一〇年代以降は、大きな運動がグローバルに連鎖していることが顕著に可視化された。

日本における社会運動の小さな「復活」

しかし日本では、こうした世界的な社会運動のうねりは十分紹介されてこなかったように思われる。

そもそも日本社会には（後でも触れるように）社会運動自体への嫌悪や忌避感情が広まっていて、運動の存在意義すら共通了解とはなっていない。実際、反グローバリズム運動や二〇〇〇年代初頭のアフガニスタンやイラクへのアメリカの攻撃に対する反戦運動についても、日本での規模は極めて小さかった（特に前者は存在すらほとんど認識されなかったのではないか）。日本国内で貧困・格差が広がった二〇〇〇年代後半も、〇八年末の「年越し派遣村」が話題になった程度で、大衆的な運動の広がりが生じたとは言えない。社会運動は無駄、そもそも意味がわからない、という意識が多くの人々の「常識」となっている。

とはいえ、「社会運動の時代」の波はそんな日本にも押し寄せた。二〇一一年三月、大地震と津波が東日本を襲い、続く原発事故が甚大な被害と衝撃を日本社会に与えた。その結果、社会運動に関してほぼ「無風」に近かった日本社会で、原発反対の運動が各地で取り組まれるようになる。*2

特にこれら多様な動きの広がりを可視化したのは、原発再稼働反対の首相官邸前行動だった。二〇一二年六月二九日には約二〇万人（主催者発表）という最大規模の抗議行動となり、参加者は国会前の路上にあふれ出た。官邸前にとにかく結集するという抗議行動の形態は、「オキュパイ」のスタイルを取り入れているとも言える。*3 このスタイルは、二〇一五年夏の戦争法案（集団的自衛権容認とその関連法案）反対運動へと引き継がれる。今度は国会正門前に人々は押し寄せた。*4

一方で、二〇一〇年代後半の「ポピュリズム」やそれへの反対運動、あるいは気候運動などの日本における展開は、まだ明瞭に浮かび上がっていない。そもそも日本の社会運動は、先に見たとおり、グローバルな運動の衝撃によって生じたというより、原発事故以来の独自の文脈に強く規定されている。とはいえ、長らく「無風」だった社会に、社会運動の風が吹いたことは否定できない。その波紋は、今は未発のものも含め次の時代に何かしら影響を与えているはずだ。本書が社会運動にこだわるのも、その可能性を押し広げようとするためだ。

鶴見俊輔の名

二〇一五年の夏は、先に触れたとおり、戦争法案への反対運動が広がっていた時期だった。そんな中、本書の主役である鶴見俊輔のことが話題となった。

同年七月一八日に京都で「とめよう!戦争法」と銘打たれた行動が呼びかけられ、そこに鶴見俊輔の名があったことが、インターネット上で評判となっていた。「あの鶴見俊輔も呼びかけている」というようなニュアンスだったと記憶している。そしてその直後、鶴見の訃報が流れた。二〇一五年七月二〇日没、報道はその数日後だった。あたかも、戦争法への反対運動が鶴見の最後の仕事であったかのように、人々には映ったのではないか。

二〇一〇年代が「社会運動の時代」であるとすれば、それは一九六〇年代から五〇年ぶりということになる。現在の「社会運動の時代」は日本社会において微弱であるとしても、半世紀前はそうではなかった。学生運動など、一九六〇年代の日本では、激しい闘争も含め様々な運動が展開された。鶴見の名が社会運動と結びついたのも、この一九六〇年代における鶴見の運動参加に由来する。

本書が主題にするのがこの問題だ。とはいえ、鶴見の運動参加を伝記的に明らかにすること自体は目的ではない（次章で紹介するように、それは既にある程度明らかになっている）。むしろ鶴見の「思想」とされるものが、社会運動とどのような関係にあるか、あるいは社会運動に対して何を示唆しようとしたか。ひいては、一九六〇年代の運動の経験を、今の、そしてこれからの社会運動にどのように生かしうるのか。そうしたことを議論したい。

実は、主題として社会運動との関係から鶴見俊輔を論じたものはほとんどない。運動への関わりは六〇年代の鶴見にとってかなりの比重を占めていたにもかかわらず、だ。既存の鶴見俊輔論はプラグマティズムが、いかにその生涯を貫いているかは後の章でも述べる。だが、プラグマティズムの解説が多く、運動論にはならない。[*5] もとより、青年期以降の鶴見の軸をなしたプラグマティズムと運動論は鶴見において別の問題ではない。鶴見の主張は認識論や人生論として受容されがちだが、プラグマティズムは思想と行為とのつながりを重視するのだから、運動の場面こそ、その有効性が問われるはずだろう。プラグマティズムと社会運動というこの両者の関係も、これまで十分意識されてこなかったのではないか。

ここに本書の存在意義がある。「戦後」（ただし「前史」としての敗戦前の時期も含む）経験とプラグマティズムを踏まえた社会運動論として鶴見俊輔を読むこと。これが本書のテーマだ。

戦後知識人として

鶴見俊輔の経歴と六〇年代の運動との関わりは、次章で説明する。ここでは、鶴見俊輔の戦後における位置について、最低限の確認をしておこう。

鶴見は戦後知識人の一人とみなされる。「知識人」とは、外国語や専門知識に通じ、「大衆」を啓蒙する存在と考えられた、大学教員や文筆家・評論家たちのことを指す。一九六〇年頃まで、大学進学率や経済・文化面における「大衆」との格差を前提にして、「知識人」というレッテルには一定のリアリティがあった。かれらは、『世界』や『中央公論』といった総合雑誌等での言論活動を通じて、社会に影響を与えた。

鶴見に限らず、戦後知識人で社会運動と関わった例は珍しくない。なぜなら、かれらは、国内外に甚大な被害を与えたかつての戦争を、全く止めることができなかった（場合によっては翼賛した）という反省意識を抱かざるを得なかったからだ。世代差や反省の中身に違いはあっても、過去（戦争の時代）を繰り返してはならないと考えた点で、戦後知識人の多くは、丸山真男の言う「悔恨共同体」の一員だった。

私は妙な言葉ですが仮にこれを「悔恨共同体の形成」と名付けるのです。つまり戦争直後の知識人に共通して流れていた感情は、それぞれの立場における、またそれぞれの領域における「自己批判」です。一体、知識人としてのこれまでのあり方はあれでよかったのだろうか、何か過去の根本的な反省に立った新らしい出直しが必要なのではないか、という共通の感情が焦土の上に広がりました。[*6]

こうして、戦争や戦前への回帰につながるような政策（日米安保や改憲、教育統制や治安強化など）に対する異議申し立てや反対運動への関わりは、「知識人」の当然の義務であるかのように、戦後初期にはかなり積極的・自覚的に選び取られた。

運動参加といっても、濃淡だけでなく、参加の「仕方」にもそれぞれ違いが見られた。その点でもちろん鶴見の模索には個性が見られる（たとえば「市民運動」の提唱と参加など）。しかし大きく見れば、社会運動と親和的な戦後知識人の潮流に、鶴見も含まれていたとは言えよう。

非マルクス主義・非近代主義という個性

だが、戦後知識人として一括りにするには、鶴見は独自な存在だった。まず、留学経験自体が特異だった。日本では小学校卒の学歴だけで戦前のアメリカに留学し、アメリカ哲学（プラグマティズム）の論文（卒業論文）を提出して帰国、というのは当時の知識人として稀な経歴だっただろう。だが、単に経歴だけではなく、「思想」としても戦後に独自の位置を持ったと思われる。
たとえば、戦後知識人の多くはマルクス主義と親和的だった。そこには、「天皇制ファシズム」の時代に唯一の非転向を貫いたとされた日本共産党の威光が大きな影響を与えていた。また、実体的な党には仮に懐疑的だったとしても、近代日本の侵略・抑圧体制の歴史を分析するのに、コミンテルンから与えられた三二年テーゼに依拠した講座派の歴史観は、社会科学の貴重な遺産とみなされた。[*7]
敗戦後のこうした親マルクス主義傾向の中で、鶴見俊輔は非マルクス主義を自覚的に選択し、標榜もしていた。そのときの支えになったのは、一つにはプラグマティズムの思想だ。もっとも、鶴見が中心となって創刊した『思想の科学』は、反「反共」の立場であり、鶴見自身プラグマティズムを「折衷主義」として、一九五六年の段階では、その短所をマルクス主義（および実存主義）によって「補強」すべきだと考えていた。[*8] その意味で、鶴見もまた親マルクス主義の空気の中にいたとは言える。だが、少なくとも、マルクス主義を自らの立場として受け入れてはいなかったことは重要だ。プラグマティズムと並んで、鶴見の非マルクス主義の足場となったのは、アナキズムの影響だった。鶴見はクロポトキンの立場からマルクスに共感しなかった。

日本で私はクロポトキンから入っているから、クロポトキンの自叙伝を読むと、いかにマルクスが嫉妬心があって独占的で嫌な男かって延々書いてあるんだ。第一次インターナショナルのなかで、マルクスってそんなに嫌なやつなのか、それがこびりついているから。［アメリカ留学時代の］私のまわりでいえば、［鶴見］和子も、都留［重人］さんも、南博も、マルクス主義だった。だけど、そっちには入らなかったんだ。[*9]

とはいえ、実は、マルクス主義者ではなかったという点だけでは、これも鶴見だけの個性ではない。丸山真男をはじめとして、マルクス主義者とは呼べない戦後知識人はもちろん少なくない。しかし鶴見は、「近代主義者」でもなかった。その点は独特だろう。晩年の発言ではあるが、次のように述べている。

私はもともと虚無主義なんだ。キリスト教徒になったことがないし、マルクス主義にもなったことがない。しかも、虚無主義のまま戦争に反対し続けるというポジションをとっていた。

……もともと虚無主義から出てきて、そのままなんだ。今もそう。そのことを日本の知識人はわかってくれないね。私のことを進歩思想の端くれだと思っているんだよ。実は、私の思想は反動なんですよ。*10

当時、仮にマルクス主義者ではなかったとしても、社会が「発展」していくというビジョン（たとえば日本もいずれ社会主義国にならざるを得ない、という予測）は一九六〇年前後までそれなりに信憑性を持っていた。それを共有していなかったとすれば、戦後知識人として特異な個性だったと言えるだろう。

「鬱病」との共存

プラグマティズムやアナキズムまでは、積極的な「主義」として理解もできるが、だが先の引用にある「虚無主義」となると穏やかではない。実は鶴見は「鬱病」の診断を受けている。

一九五一年、最年少の京大助教授であった時期に重い症状が出た。精神科医からこのとき鬱病の診断がくだされた。

京大に来てみたら、京大のキャンパスで私がいちばん若い助教授だったんです。それを知らないで京大にきたわけで、まずいことになったなあ、みんなに嫌な目で見られるのも当たり前だなあと思って、しばらく我慢していた。そのうちに二年ほどしたら、幻聴が聞こえるようになって、自分が内部から嘲笑われているような気がした。自分の名前が書けなくなったんだ。*11

もともと子ども時代に、睡眠薬での自殺未遂を何度か試みていた。その意味で、この五一年の病状は初めての発症というわけではないだろう。そして五二年に仕事に復帰して以降も、たとえば一九六〇年から六一年にかけて、つまり風流夢譚事件から思想の科学事件までという鶴見にとっても本来は重要な時期に、重度の鬱状態で引きこもった生活をせざるを得なかった（次章で改めて触れる）。

一方、一九七五年のインタビューでは、「生きることにいやな感じをもたなくなった」と発言している。[*12] この頃までには鬱病から解放されたということだろう。しかし六〇年代までは、いつ鬱状態が襲ってくるかという警戒心とともに生きざるを得なかった。症状が出ていないときも、「明るく前向きで人生が楽しい」という「ポジティブ・シンキング」からはほど遠い状態で思考し、発言し、行動していた。そのことは残された文章ににじみ出ざるを得ない。

つまり、鶴見のプラグマティズムやアナキズムも、こうした精神状態と無縁の産物ではない。先に見たとおり、マルクス主義を選択しないアナキズムは虚無主義への傾きを持っていた（非暴力という原理によってテロリズムは肯定しないとしても）。何か明るい理想があって、それを信じて革命運動に邁進する、という社会認識ではない。むしろ逆に、暗闇に落ちていくものをどうやって、どこまで食い止めることができるか、そうした世界観の中で発想していたと考えられる。

その意味で、（少なくとも一九七〇年頃までの時期に関しては）鶴見の思想と行動は鬱病からの回復後のものではない。むしろそれとの「せめぎ合い」、あるいは「共存」の産物として捉えることができる。

「後ろ向き」の社会運動の可能性

鶴見の持つこのネガティブさこそが、一九六〇年代ではなく、今これからの社会運動を考えるときにきわめて重要だと私は考える。

近年（といってももう一〇年以上続くが）の若者論は、自己責任イデオロギーの下で自尊感情を奪われ、リストカットや摂食障害に象徴される「生きづらさ」を感じる「若者」の広がりを論じてきた。仮にどんなにつらい境遇に置かれていても、「他よりもマシ」あるいは「自分のせい」と思わされ、また言ったところで余計傷つくだけだという無力感を募らせる。

よく知られているように、孤立感を味わいながら生きる若者の比率は他国とくらべきわだって高い。こうした意識調査が示唆するのは、若者の社会的孤立が日本社会で広範囲に及んでいる状況だろう。今この社会に身をおいていることが苦しい、辛いという感覚のすそ野は若者たち全体に及んでいると言っても過言ではないだろう。／……踏みとどまれる足場を社会が用意できるとは思えないというリアルな認識は、「それでも仕方ない」と思いきれるような断念のあり方を生み出す。「死にたい」というつぶやきはそうした断念の表現形なのだろう。それも自分のせいなのだから仕方ないと自分を納得させることで、「今」を生き延びようとする。*[13]

そんな今の時代に、「理想的な社会を築いていこう！」と目標を掲げるのは容易ではない。そもそも、マルクス主義も既に失墜し、ユートピアは見当たらない。ネガティブな鶴見の思想の中に、そんな現代だからこそ取り出すべきものが存在するように思われる。

べ平連運動の「若手」として鶴見俊輔に出会って以降、「鶴見さんに大きな影響を受けて仕事と生活をしてきた」と述べる室謙二は、鶴見への追悼号の文章で、鶴見が「リベラルと戦後の平和と民主主義の代表選手であるとは思えない」と強調している。

津野海太郎の読売新聞に掲載された追悼文によれば、津野さんが当時編集長であった晶文社から「鶴見俊輔座談集」シリーズをだす相談に京都に行ったところ、「なかには白塗りのモノがあると思うが、ぜんぶ棄ててください」と津野さんは言われたらしい。つまり顔を白く塗り舞台に出て演じたもの、戦後の運動の中で表に出て政治的な正義を語ったものはぜんぶ棄ててくれということだった。[*14]

このエピソードとその解釈は、本書が考える鶴見の「後ろ向き」さを傍証している。しかし、「戦後の運動の中で表に出て政治的な正義を語ったもの」を「白塗りのモノ」とする判定には争いの余地がある。つまり、社会運動への関わり全てが偽りだったわけではないはずだ。仮に九〇年代に鶴見がそう考えたとしても、一九六〇年代当時は「後ろ向き」のままの運動参加があったと本書は考える。「正義の鶴見俊輔と狂気を含む鶴見俊輔と」の二者択一を迫る室の追悼文に、その両立可能性を探るという意味で、半分は反論したいということだ。

私はかつて、鶴見俊輔の思想を、「過去の失敗に学ぼうとする態度、鬱病と結びついたアナキズム、日常に根を持つプラグマティズム」という三つがより合わさった「後ろ向き」の原理だと総括した。[*15]この捉え方を本書も引き継いでいる。その上で本書が強調したいのは、「前向き」になるのが難しい現代社会において、「後ろ向き」のままで、社会を変えるための運動に携わることはどうすれば可能か、という問題意識だ。

社会の動きは圧倒的でそれを変えるのは難しい、自分には主体的に社会に関わる準備がない、そうした無力感の中で、日本の人々（特に若者）から社会運動という希望が奪われている（一方で、否定的なイメージだけは残っている）。本書は自己を無力と感じる認識を必ずしも否定しない。鶴見俊輔もまた、世界や歴史に流されざるを得ないものとして個人を見ていたであろう。にもかかわらず、抵抗は必要であり可能だ。実際にそのような態度で社会運動に参加した鶴見から、それを学んでいくことが重要だろうと考えている。

本書のねらい一：鶴見俊輔を社会運動の思想家として読む

以上を踏まえ、本書が目指すのは以下の三点である。

第一に、鶴見俊輔の思想（と行動）を一つの社会運動論として受け取り、展開し、その有効性を論じたい。先に述べたように、これまでの鶴見論は、鶴見自身が一九六〇年代を中心に深く運動の中を生きたにもかかわらず、社会運動の思想家としては捉えようとしなかった。その点だけでも、本書は独自の鶴見論となるだろう。

まず、どのような経験が鶴見の文章の中に響いているのか、これを運動参加の経歴に即して明らかにする。なお、一九六〇年代という運動全体のうねりの中で、それらを見据えて距離を測りながら思考し判断していったのだから、鶴見個人の体験だけでなく、運動史全体の幅で論じる必要がある。この点も、解釈する者の戦後史・運動史理解の力量が問われる。

次に、そうして紡がれた鶴見の文章が、今度は社会運動にとって何を提案するものだったのか、その社会運動論としてのポテンシャルを示す。鶴見のプラグマティズムは、個人的アイディア（発想法）の水準で受け取られることが少なくない。それも間違いではないが、社会運動に対する「実用性」も忘れ去られるべきではない。

本書のねらい二：「ユートピア」を求めない社会運動の構想

そして、鶴見の社会運動論なるものの中身として、先にも触れた「後ろ向き」の社会運動が持つ現代的可能性を強調したい。これが本書の第二のねらいとなる。

マルクス主義は、多くのバリエーションがあったとはいえ、基本的にはユートピアに向けて革命を起こそうとする思想と実践だった。鶴見はこれと「同伴」しながらも、その「前向き」な姿勢には同調できなかった。いまやマルクス主義の存在感は見る影もない。そして、（因果関係ではないとしても並行する現象として）日本社会では特に若い世代で社会運動へとつながる活動は弱体化し、一方で個人における「生きづらさ」の問題がかなり広い裾野を伴って顕在化しているとされる。

こうした時代に、自分自身の問題にこだわり（苦しみ）、「前向き」な発想ではない構えで、しかし一九六〇年代に運動の中を生きた鶴見の発言と実践は、現代日本社会で社会運動の価値を再発見しようとする場合の貴重な鉱脈となるはずだ。

この側面は「主義」として言えばアナキズムになるだろうが、先に見たように、鶴見においては虚無主義に接し、さらに個人的な鬱病を根として持っていた。そうであったにもかかわらず、鶴見は一体どうして社会運動に関わることになったのか、運動への参加を続けることができたのか、その視座から何を見出し提起したのか。鶴見の軌跡からは、大きな流れに押し流されながらも、社会を少しでも前に向けるための営みに参与する道筋、その手がかりが浮かび上がるだろう。

本書は、現代社会で社会運動と無縁と思って生きている(きた)人たちが、実は運動とつながる回路を持つことを、鶴見俊輔を素材にして明らかにしたい。

本書のねらい三:『日常的思想の可能性』という可能性

第三に、こうした問題を探求するのに、本書は特に『日常的思想の可能性』(一九六七年・筑摩書房)に焦点を当てる。

鶴見の著作は多く、共著・編著も含めれば膨大と言ってよい。名著と呼ばれる本は何冊もあるし、鶴見俊輔を理解するのに重要な一冊というのは他にもあろう。筆者が個人的に最も共感する一冊という場合も別の本を挙げたい。にもかかわらず『日常的思想の可能性』を取り上げるのは、今回の問題意識を解き明かすのに最適だという判断による。

まず何より、同書には社会運動について正面から論じた文章が複数集められている。単著一冊の中で明示的に社会運動についての議論が一角をなす著作(単著)は、案外少ない。

そして、同書が一九六七年に刊行されたということも重要だ。二つの意味でそう言える。

一つは、一九六〇年代の社会運動（グローバルに運動が最も高揚したとされる「一九六八」は、直前期であるため含まれていないが）と自らのそれへの関わりを踏まえながら鶴見は同書を編んだ、という点だ。第2章で見るとおり、単純に時系列での配列にはなっていない。その並べ方の中に同書のメッセージがあり、それは「社会運動の時代」を見つめながら構想されたものだと筆者は考えている。つまり、実は社会運動論の本なのだというのがここでの解釈だ。

二つ目として、同年に『限界芸術論』（勁草書房）が刊行されている。どちらも著者自身によって編まれた「論文集」であり、両著の「棲み分け」の論理から、『日常的思想の可能性』が担わされた役割を確認することができる。同時に、明示されていないとはいえ、二冊をつなげて考えることで、鶴見の基盤にあるプラグマティズムの存在、その働き方を彫り出すことができる。

こうして、本書の主題を展開するのにふさわしい戦略点として、『日常的思想の可能性』を主要な素材としたい。ただし、同書だけで全てを言い尽くせるわけではないので、鶴見の著書や関連書も随時言及・引用する。

本書の構成

この序章で説明した問題意識を踏まえ、本書は以下のように展開される。

続く第1章では、鶴見の経歴を論じる。本章でも触れた鶴見の「知識人」としての個性を改めて確認し、活動の内実についても理解を深める。特に戦後の社会運動との関係や、一九六〇年代の運動史的前提が説明される。このことの了解なしに、社会運動論として鶴見俊輔を読むことはできない。

第2章では、本書が焦点とする『日常的思想の可能性』の講読を行う。とはいえ、全ての文章をだらだらと紹介したいわけではない。文字どおりの意味であれば読めばわかる。あえて勇み足の表現を採るとすれば、同書が社会運動の書であることを「証明」する。さらに、それが社会運動論としてどういう内容と意義を持つのか、展開する。

一方第3章は、そうして取り出した鶴見の思想を全面的に賛美すればよいわけではないこと、つまりその相対化を行う。筆者は鶴見俊輔の「信者」ではない。戦後思想の中で鶴見を適切に位置づける作業を行う。そのことを通じて、前章で浮かび上がらせた社会運動の思想の輪郭を、より明確にする。

第4章は、これまで議論してきた鶴見の社会運動論を、単に過去を扱った「思想史」や「運動史」として片づけるのではなく、現在と切り結ぶことのできる思想として提示する。具体的には、「流されながら抵抗する」という運動にどのようにたどり着く道があるか、現代的課題として論じる。

最後に終章では、「この時代」に鶴見俊輔を読むことの意義を改めて考えてみたい。

＊1 松井隆志、「変化する政治」

＊2 小熊英二編、『原発を止める人々』

＊3 「変化する政治」

＊4 ただし、日本におけるこうした社会運動の「再興」は、日本以外の国々とは異なり、必ずしも「若者」の動きではなかった。樋口直人・松谷満編、『3・11後の社会運動』第三章参照。

＊5 一冊丸ごと費やして鶴見を論じた本は既に何冊かあるが、

鶴見の長期にわたる存在感に比べれば案外少ないとも言える。主要なものとして、上原隆『「普通の人」の哲学』、菅孝行『鶴見俊輔論』、木村倫幸『鶴見俊輔ノススメ』、高草木光一『鶴見俊輔　混沌の哲学』、原田達『鶴見俊輔と希望の社会学』、谷川嘉浩『鶴見俊輔の言葉と倫理』などがある。ただし、ほぼ全てで社会運動への関心が主題とは言えない。例外的に、高草木の著作は、鶴見にとってのベトナム反戦運動を主題の一つに捉えている。しかし、詳細は省くが、私の鶴見理解は高草木のそれとは合致しない。本書全体でその根拠を示すことになるだろう。ちなみに、伝記として有益な黒川創『鶴見俊輔伝』も、一九六〇年代の社会運動の部分への踏み込みは浅い。

＊6　丸山真男、『後衛の位置から』、一一四ページ

＊7　内田義彦の「市民社会青年」概念は、講座派の「圧倒的影響」をその共通性の一つに見ている。都筑勉、『戦後日本の知識人』、一六ページ

＊8　鶴見俊輔、「折衷主義の哲学としてのプラグマティズムの方法」、二九九ページ

＊9　鶴見俊輔、『たまたま、この世界に生まれて』、二〇七－二〇八ページ

＊10　鶴見俊輔、『言い残しておくこと』、一七七－一七八ページ

＊11　鶴見俊輔・上野千鶴子・小熊英二、『戦争が遺したもの』、二二八ページ

＊12　鶴見俊輔、『鶴見俊輔対話集　戦争体験』、九ページ

＊13　中西新太郎、『若者は社会を変えられるか?』、一〇〇－一〇二ページ。ただし「若者」は一枚岩ではないし、この論理もまだ仮説的なものだ。

＊14　室謙二、「白塗りの正義と素顔の中の狂気」、二六－二七ページ

＊15　松井隆志、「鶴見俊輔」、一〇六ページ

第1章

一九六〇年代と「市民運動」

鶴見は名家の生まれという重圧から幼少のころ「不良」になり1937年に15歳で
アメリカに送られるも、ハーバード大学で哲学を専攻、卒業論文を書き上げる。
戦争勃発後は「負ける時に日本にいたい」との思いから1942年に帰国。
1945年の敗戦は、結核療養のために暮らしていた軽井沢で迎えた。
戦後まもなく、1946年に雑誌『思想の科学』の創刊。
領域を縦断する大胆な評論、執筆活動を続けながら、60年安保闘争を背景にした
「声なき声の会」「ベ平連」という「市民運動」の組織化など、精力的な活動をした。
振り幅があまりに大きく全貌がとらえにくい鶴見俊輔の「知識人」としての
特異な個性を改めて確認するところから本書を始めてみたい。

1 出発点：アメリカ留学とプラグマティズム

名家の子息として

鶴見俊輔が社会運動と深い関わりを持ったのは、主要には一九六〇年代の体験からだった。本章ではその内実を見ていく。ただし、鶴見の運動体験への理解を深めるには、日本社会がその時代にどういう状況だったかという前提知識と、鶴見がなぜそのような場に立ち会うことになったのか、という伝記的説明が欠かせない。ここではまず後者の、鶴見の生い立ちをたどることから始めたい。[*1]

鶴見俊輔は、一九二二年に東京で生まれた。父で官僚（後に政治家）の鶴見祐輔と、後藤新平の娘・愛子との間に生まれた長男だった。黒川創の『鶴見俊輔伝』には、「世間が注目する有名家庭のぼっちゃんとして、少年雑誌、婦人雑誌にしばしば登場した」として、そうしたグラビア写真の一枚も転載されている。[*2] これを見ると、後の俊輔が「鶴見」の名（「家柄」の特権性意識）に苦しめられたのもわかる気がする（以降、両親等が登場する部分では、区別のため「俊輔」と表記する）。

俊輔の精神を追い詰めたもう一つの重大な要素は、母のしつけだった。（あくまで俊輔の受け止め方だが）母は俊輔に「正義」を振りかざし、叱責や折檻を繰り返した。そして特権階級の原罪意識も植えつけた。晩年の俊輔は「自分は悪人だ」と盛んに言うようになるが、そこでは「正義の人」、すなわち母への愛憎が表現されている。

どんな偉そうに見える人でも一皮むけばみんな偽善者だという思想に、私は、どんなときにもくみすることができない。それは、どういう角度から接しても偽善者ではなかった母の姿をそばで見ていて、その偽善者でないことに閉口して育ったためだ。[*3]

俊輔は「you are wrong、おまえが悪い」と言われ続けたと受け取った。その結果、「正義」への警戒心を育て、「I am wrong」の立場に立とうとする。[*4]「正義」には、キリスト教やマルクス主義も含まれる。前章で触れた非マルクス主義＝アナキズムへの立場選択にも、この発想が影響している。

こうした母の厳しいしつけと重圧のせいもあり、やがて俊輔は学校生活になじめなくなる。小学生時代に「不良」となって、万引き・家出・女性関係・自殺未遂を繰り返し、中学校も中途退学を余儀なくされる。[*5] 日本での展望がほとんど絶望的になったことから、俊輔はアメリカへ送られる。

留学生活と都留重人

一九三七年に渡米。既に政治家・著述家として名の知られていた父・祐輔は、ハーバード大学教授アーサー・シュレージンガーに話をとおしており、当時大学院生として同大に所属していた都留重人が年長の日本人として目をかけることとなった。

都留は鶴見俊輔との最初の出会いで、「アメリカの小学校から勉強しなおすべきだ」と主張して聞かなかった鶴見の姿を証言している。[*6] 結局、高校にあたる中等学校のミドルセックススクールに入り、一九三九年ハーバード大学に入学した。この高校時代、鶴見は英語を猛勉強し、ある日高熱を出した後、母語が英語に切り替わったという体験をしている。日米戦争が後に始まりアメリカを離れた後も、本人の証言によれば、思考の言語は英語のままとなった。*7

ハーバード大学で鶴見は哲学を専攻し、プラグマティズムを学んで卒業論文を書き上げる。鶴見が摑んだプラグマティズムがどのようなものだったかは、後で確認する。ここでは、大学での学業（鶴見は勤勉に勉強し続けたという）の話よりも、都留重人の影響について念のため確認しておきたい。というのも、鶴見における都留からの影響という論点が、既存の鶴見論では十分検討されていないように思われるからだ。

影響の一つ目は、これは本人の証言を含め既に語られていることだが、鶴見にプラグマティズムを薦めたのが都留だった。都留自身は経済学者だったが、マックス・オットーとの交流もあり、プラグマティズムにも通じていた。鶴見は都留のことを「私にとっては、ただ一人の先生」と呼び、「私に対する都留さんの影響はとても大きい」と書いている。*8

都留重人は、私の、哲学の教師である。

この人に出会ったとき、私は一五歳だった。翌年、私はハーヴァード大学の哲学科にはいったが、その選択に都留さんは、賛成ではなかった。

哲学というのは、何か問題と取り組んでいるうちに、その取り組み方から出てくる感想といったようなものだ、というのが、彼の哲学の定義で、その例として、ウィリアム・ジェイムズの「廻る」をあげた。

ジェイムズが、ピクニックに行って、その目的地を離れてしばらく散歩して帰ってくると、論争が起こっていた。

今リスがいて、自分が彼を見つけようとすると、リスは木をまわりこんで顔をあわせることができない。それでも、自分が、このリスのまわりを廻っているといえるのか。

ジェイムズはその言い分をきいて、助言をした。

もしあなたが、「廻る」をこのリスの北にいて、東にいて、南にいて、西にいると定義するなら、あなたはこのリスの回りを廻っている。しかし、もし同じこの言葉を、リスの前に立ち、後ろに立ち、横に立ち、ふたたび前に立つと定義するなら、あなたはこのリスのまわりを廻っていない。

それは『プラグマティズム』という本の一章にあたるが、それを都留重人は本を取りださずに、そらで話した。

そして、アメリカにきたのだから、哲学科を選ぶならプラグマティズムを勉強するのがいいだろうと言った。*9

都留の助言なしには鶴見はプラグマティズムを勉強することがなかったかもしれない。しかし、影響の二点目なのだが、都留が鶴見の「唯一の先生」であるのは、プラグマティズムを薦めたせいだけなのだろうか。確かに後の鶴見の人生を考えればそれは決定的な助言だった。しかしそのエピソードだけで「唯一の先生」たり得るだろうか。

鶴見は、当時留学中だった本城（東郷）文彦の提案で、週二回、都留邸で昼食がてら「雑談」するという「内弟子」にしてもらっていたという（期間は不明）。*10 なるほどそれなら「先生」ではある。だが「唯一の先生」という表現はまだ過剰だ。この点について私は、鶴見が青年期に政治的な意識を育んだ背景にも、都留の影響が大きかったのではないかと推測している。

「無政府主義者」として逮捕

都留重人は、第八高等学校在学時代に「反帝同盟」の活動で一九三〇年に逮捕され、そのまま八高も除名となった。そのために留学に出ることとなるが、翌三一年にアメリカ留学した後も、ドイツ再留学をもくろんだりしていた（結果的にナチズムの台頭で断念）。これはマルクス主義への執着と解釈できる。その後、ハーバード大学の大学院生時代に、『サイエンス・アンド・ソサエティ』という「知識人階層へのマルキシズム思想の普及を目的とした季刊雑誌」の創刊に関わる。

この企画の発案には、アメリカ共産党の文化部が関係していたらしいこと、そしてそれが一九三五年七月にモスクワで開かれた第七回コミンテルン大会での人民戦線テーゼの採択への実践面での対応であったことを、私は感じ取ることができた。*11

この雑誌をめぐって経済学者ニービルとやりとりした都留の手紙は、「一貫して編集陣のマルクス主義としてのなまぬるさに業をにやして彼らを督励する性格のもの」であり、そのことが後のマッカーシズム下で「アメリカ上院の国内治安委員会による喚問の主要原因となった」という。[*12]

その都留への喚問（一九五七年）は、直後のハーバート・ノーマンの自死と関連づけて日本で報道され、そのことをめぐり鶴見は「自由主義者の試金石」を書いた（後述の『日常的思想の可能性』に収録）。果たして都留が共産党と本当に無関係だったのかという問題は「自由主義者の試金石」の解釈にも影響するだろう。とはいえ、本書においては別系統の問題となるため、ここでの深入りを避ける。少なくともここまでの記述で十分明らかなのは、鶴見が留学した一九三〇年代の米国での都留は、純粋な経済学徒という以上にかなり政治的だったと思われることだ。

鶴見に話を戻そう。都留の当時の政治性に触れたのは、鶴見の「無政府主義者」の自称について、少し立ち止まって考えたいからだ。わざわざそう述べたせいで鶴見は逮捕され、獄中で卒業論文を仕上げる羽目になった。

　私がつかまったわけは、［逮捕後］ひと月ほどたって簡単な裁判があった時に、はっきりした。日米戦争がおこってしばらくしてから、北米に住む日本・ドイツ・イタリア人が移民局に呼ばれて、しらべられたことがある。その時、この戦争をどう思うかときかれて、私は、自分の信条として無政府主義者だから、このような帝国主義戦争ではどちらの国家も支持しないと言った。これは、私としては、自分の考えていることをそのまま言ったことになる。[*13]

このエピソードはよく知られていて、後の鶴見の人生を考えても特に矛盾はない。だが、鶴見のこの立場表明について、冷静に考え直してみよう。マルクスよりもクロポトキンへの親近感があったことなど、鶴見自身の証言をそのまま受け取るのも間違いではないが、そうした判断をするには、まずマルクス主義についてそれなりに知っていなければならない。さらに日米で火蓋の切られた戦争を「帝国主義戦争」と判断するには、新聞報道以上の、一定の見識がなければならない。もちろん、政治家の子息の知識人（予備軍）の青年が、開戦（が予期される）相手国滞在の状況下で、現代社会のようにノンポリでいられるわけはない。だが、「帝国主義戦争」だと見るにはそれ以上の体系的な理解が必要ではないか。日本にいる頃から既に相当の読書家であったとしても、中学校中退の状態でアメリカに来た鶴見は、哲学専攻の志向性であったことも含め、社会科学的な現状分析にそれほどの造詣があったとも思われない。

こうした状況証拠を踏まえると、マルクス主義者・都留重人の「内弟子」だったことの影響が大きかったはずだ、というのが私の仮説だ。[*14] 確かに、前章の引用のとおり、都留以外にも姉の和子など、鶴見の周囲はマルクス主義者が少なくなかった。

しかし、日本社会にとっても、結果的に鶴見自身の生涯にとっても、決定的な時期に、都留がその判断の基盤を与えてくれたのだとすれば、「唯一の先生」だという評価も頷けるように思われる。[*15] 鶴見の「無政府主義者」としての逮捕は、後の鶴見の言動から見ると「鶴見らしい」エピソードとしてすんなり受け取ってしまいそうになるが、アメリカ哲学（プラグマティズム）を専攻し、日米それぞれで活動歴など皆無だった人間が、「帝国主義戦争」に反対する「無政府主義」の立場に立つことは、それほど「自然」なことではなかったはずだ。

いずれにせよ鶴見は「無政府主義者」としてＦＢＩに逮捕され、やがて日本が確実に負けると考えながら「負ける時に日本にいたい」との思いから、[*16]一九四二年に「日米交換船」で帰国した。

戦争への参加

帰国後、鶴見は既に結核を患っていたにもかかわらず予想外に徴兵検査に合格してしまい、それならば陸軍よりはと海軍を希望して、海軍軍属としてジャカルタに送られる（一九四三年）。ここで擬装用植物の研究を任されるなどもあったが、基本的には通訳として連合国軍の放送を翻訳して報告していたという。[*17]

軍隊の中で鶴見は、英語で思考するようになっていたアメリカ帰りの人間として、戦争の大義を全く信じていない本心が悟られないかと、極度の緊張を強いられた。[*18]さらに、後の回想では、戦争で殺されるよりも、殺す側に回ることとの恐怖を強調している。

戦争中は「殺せ」と言われるのが一番かなわないんだなあ。「殺さない奴は殺せ」という思想を胸に突きつけられて、何とかして殺さないで自分が死にたいということが、私としては理想の極限だった。……自分が殺しそうになったら自分を殺す。自殺する権利があるんだということを最後の砦としたんです。……だから薬をくすねていつでもポケットに入れていて、最後には便所に鍵かけてやろうと思っていたんだけれど、致死量がわからなくてうまくできるかどうかわからないし、すごく怖かった。[*19]

現実に、捕虜を「処分」してしまう命令が、偶然、鶴見に対してではなく、同僚にくだされたエピソードも語っている。[20]もちろん、たとえ命令であっても捕虜を判決もなく殺害することは「戦争犯罪」にあたり、現に戦後のBC級裁判で処罰された者にこうした捕虜殺害・虐待の事例は多かった。[21]また九〇年代以降、「慰安婦」への謝罪と補償が日本社会で問題になってくると、鶴見自身が「慰安所」の設置に関わったことも明らかにしている。[22]

その後、鶴見は軍属として勤務中に結核（胸部カリエス）が悪化、一九四四年に日本に戻され、翌年休職。一九四五年の敗戦は、療養のために暮らしていた軽井沢で迎えた。

2　一九六〇年代前史：「思想の科学」

『思想の科学』創刊

敗戦後、大日本帝国による言論抑圧がほぼ消滅し、[23]皇国史観、総動員体制といったイデオロギーが価値を失うという空白状況に、雨後の筍のごとく多くの雑誌が創刊されたと言われる。鶴見の『思想の科学』もそうした文字どおりの「戦後」の時代に生まれた。

とはいえ、多くの「カストリ雑誌」とは異なり、『思想の科学』はかなり恵まれた状況で始まった。同人は鶴見俊輔の他、武谷三男・武田清子・都留重人・鶴見和子・丸山真男・渡辺慧の七人。姉の和子が、俊輔のために積極的に動き、事務所や（当時希少であった）紙の割り当ては父親が関わっていた「太平洋協会」を利用する形で、一九四六年五月に創刊号（当初は季刊）を出した。[*24] これらの同人の専門性はそれぞれ異なるが、戦争に積極的な加担をせず、批判的な観点を維持し続けたという観点から、和子がお膳立てしたという。[*25]

ちなみに『思想の科学』は、一九六一年の『思想の科学』事件の翌年から自主刊行（思想の科学社設立）に踏み出す以前は、出版社を何度も変え、一時は『芽』と題したこともあった。[*26] したがって、出版社や編集体制も含め、『思想の科学』半世紀の歴史（一九九六年終刊）は時期ごとに異なり、それらを無視して単純に特徴づけすることはできない。とはいえ、一九六〇年代の鶴見を理解するための前提として、『思想の科学』の編集方針と政治的立場、「思想の科学研究会」との関係、プラグマティズムの理解と実践の三点について、大まかに触れたい（なお以下では、雑誌に限定した言及は『思想の科学』、雑誌と研究会の両方を合わせて言及する場合には、通常のカギカッコの「思想の科学」と記す）。

多元主義と非マルクス主義

『思想の科学』は初期から実質的に鶴見俊輔の個人編集雑誌で、同人が一堂に会して討議することはあまりなかったようだが、雑誌の方向性を決める際のいくつかのエピソードを鶴見が語り伝えている。その一つが「提案権」というユニークな編集原則だ。これは拒否権とは逆の発想で、「ある一人の編集委員が強力に推薦した場合、いちどは反対がでても再びその編集員が推すときは掲載するという原則」だ。[*27]

この例が体現するように、「思想の科学」の原則は多元主義だった。これは、序章でも言及した敗戦直後のマルクス主義（特に日本共産党の方針）が過剰な権威を持った時代に、それとの一体化への防波堤の役割を果たした。当時、民主科学者協会（民科）から『思想の科学』が批判された際、鶴見は廃刊も考えたという。しかし、「提案権」を提起した武谷三男は、自身も民科に所属しマルクス主義の立場に立ちながらも、近代主義・近代理論を摂取することの重要性を主張して、廃刊は取りやめになった。[*28]

こうして「思想の科学」は、非マルクス主義の政治的立場を保つこととなった。これは、反共主義とは異なる。鶴見自身は「反・反共」主義を標榜したように、[*29]マルクス主義あるいは共産党から無理やり遠ざかろうとするものではない。同時に、そこから離れて独自にテーマを追求することも厭わない。

この立場性が有意義な問題提起を生んだと言えるのは、一九五〇年代半ばの有名な「転向」の共同研究だ（これは雑誌ではなく後述の「研究会」の成果である）。「転向」への問題意識は、戦争体験の中から育まれた。特に、戦前「リベラル」な政治家であった父・祐輔が戦争協力の立場になし崩しに変わったことは、俊輔の心に深刻な影響を与えた。『転向』三巻は、じつは私の親父についての感想なんだ」と後に語っている。[*30]

とはいえ、そうした個人的な動機を根に持つ研究ではあったが、戦後思想の中で同研究が重要なのは、転向＝変節という価値観を前提にした転向論を脱倫理化した点だ。吉本隆明の「転向論」（一九五八年）とともに、日本共産党の非転向神話とその権威を相対化する（あるいはそうした時代自体の）象徴的著作となった。ここに、「思想の科学」の政治的位置取りがよく表されている。

「サークル運動」としての「研究会」

一方、団体としての「思想の科学研究会」は一九四九年に始まった。研究会がまずあって雑誌が刊行されたように思われるが、経緯としては雑誌刊行が先行していた。

ちなみに、各地の研究会は、雑誌の行き詰まりの中で生まれた。鶴見が丸山真男に相談したところ、地方支部をつくるべしとの助言を受けた。最初の地方の研究会（「思想の科学関西支部」）ができた一九五二年頃は、第一次の『思想の科学』終刊後だった。雑誌がない時期の「思想の科学」を各地の研究会が支えた。[*31]

「思想の科学研究会」が発展した一九五〇年代は、サークル運動の時代でもあった。[*32] 同研究会は必ずしも「サークル運動」として発展させることを意図したものではなかったと思われるが、少なくとも鶴見にとっては、党組織などとは異なる人々のゆるやかなつなぎ方の経験として、類似の意味を持った。

また、研究会に集った人々とテーマごとに「研究」を行うことは、雑誌の新たな書き手を発掘する場ともなった。映画評論家として著名な佐藤忠男が『思想の科学』への投稿をきっかけに世に出ることになったことは知られているが、たとえば後に「保守」の物書きとなった上坂冬子も、鶴見の対談記事への質問の手紙をきっかけに、鶴見らが行っていた「庶民列伝の会」への参加者となり、そこで見出され、『思想の科学』での連載を経て文筆家となった。[*33]

自身の回想や鶴見論において、編集者としての鶴見俊輔がよく語られる。本書は、鶴見の「思想」のみならず、社会運動との関わりについて焦点を当てるが、「思想の科学」という雑誌と研究会の往復をし続けたことは、その社会運動論にも深く影響している。この点は次章に関わる。

プラグマティズムとは何か

『思想の科学』の創刊趣旨には「英米思想の紹介に尽力する」と書かれていた。*34 創刊時のタイトル案は、武谷三男が『科学評論』、丸山真男が『思想史研究』、鶴見俊輔は『記号論雑誌』というものだった。*35 上田辰之助が提案したという『思想の科学』はこれらの折衷案とも言える。「英米思想」そして「記号論」と言うとき、少なくとも鶴見の念頭にあったのは、自らがアメリカ留学中に研究したプラグマティズムだった。

思想(哲学)としてのプラグマティズムを適切にまとめあげ、そこに鶴見の議論を位置づけることは、本書には荷が重い。とはいえ、「プラグマティズム」の名において、戦後の鶴見が何を目指そうとしたのかの確認は必要だろう。

戦後の最も早い時期(一九四六年)に書かれたものとして、「哲学の反省」という論文がある。これは、哲学徒の立場から、哲学自体と戦争へと至った日本社会の「反省」を目指そうとするものだった。

古来の哲学は、すでに死滅したと言わないまでも、老衰状態に陥り、動脈硬化を呈している。この中に新生の気が潑剌と燃え上ってくるためには、いかにこれを把握し直せばよいのだろうか。／哲学は次の三条の道に従って把握される場合、現代の社会においても生きた意味をもつことが出来る。第一に思索の方法の綜合的批判として把握される場合、第二に個人生活及び社会生活の指導原理探求として把握される場合、第三に人々の世界への同情として把握される場合、即ちこれである。[36]

そして「第一」の「思索の方法の綜合的批判」を遂行するための有力な道具が、記号論だとされる。批判・指針・同情の三つの機能は全て絡み合っており、どれも重視されるべきだとしてはいるが、論文全体の趣旨として、敗戦後日本の「反省」のためには「曖昧なる言語」を「明確なる言語」に置き換える「記号意識」の意義が特に強調されている。たとえば論文後半では、「戦争その他の危機の直前期には、国民並びに言論指導者間に、不正確な記号使用法の習慣がついており、このために無用の危機を招来し、招来後においてその害悪をますます助長せしめんとする傾向がある」と、「東亜の解放」を主張する類いの空疎な願望・精神主義的な言論を批判的に取り上げている。[37] この論点は、次章で取り上げる論文「言葉のお守り的使用法について」（「哲学の反省」とほぼ同時期の『思想の科学』創刊号に掲載）へと連続している。

「哲学の反省」論文の中にプラグマティズムの語は見当たらないが、記号論およびここで述べられている「批判」の機能が、プラグマティズムのそれを指すことは間違いない。

鶴見自身のプラグマティズム論でも確認しよう。一九五〇年にまとめた『アメリカ哲学』は人物ごとの紹介となっており、プラグマティズムを「一つの思想」としては整理していない。その中心は

「考えは行為の一段階なり」という、思考と行為を切り離さない捉え方であるが、それは「倫理―功利主義的」・「論理―実証主義的」・「心理―自然主義的」という三つの面（傾向）があるとまとめている。[*38]後の鶴見は、デューイの再評価など心理的（自然主義的）側面を重視することになるが、戦後初期には、「哲学の反省」でも見たように、意味内容を明瞭とするような「新しい言語習慣をつくる」ことに重点が置かれていたように思われる。[*39]

また、『アメリカ哲学』においては、プラグマティズムの複数の起源や潮流に目配りしているとはいえ、「プラグマティズムを真面目に勉強しようと思う者は、パースという門からこの思想に入ってゆくべきだ」と、この時代の日本で十分光が当たっていなかったというチャールズ・パースに多くの字数を割いていることも目を惹く。鶴見はパースの「考え方の癖」として、「自分ならびに他人の意見を、常に、まちがっているかも知れぬものとして把握する」「哲学的意見でもなんでも、意見の意味を常に、ある実験条件と結び合わして考える」という二つを紹介し、「パースの思想体系は、これら二つの癖に沿うて展開された」とまとめた。[*40]前者は「マチガイ主義」と鶴見が述べるもので、先に触れた「思想の科学」の多元論の基礎をなす考えであり、鶴見の運動論にとっても重要な柱となっている。一方、後者は、言葉の使用を明確にしようというもので、「哲学の反省」における「批判」機能に強く結びつく。

要するに、「英米思想の紹介に尽力する」とは、言語（概念）の適切な運用を普及させるための、記号論の日本への導入が企図されていた。しかしこうした啓蒙主義的、そして（雑誌のタイトルに刻印されている）科学主義的な発想[*41]は、五〇年代を通じて変化していくことになる。

プラグマティズムの土着化

既に一九五〇年の『アメリカ哲学』の中に、「英米思想」の「啓蒙」ではない方向性が確認できる。「プラグマティズムと日本」の章では、福沢諭吉・大杉栄・柳田国男・国分一太郎らを取り上げ、「日本におけるプラグマティズムは……『プラグマティズム』という名前とは普通にはいっしょに考えられない人々の中にだけ生きていた」と書いた。[*42] そして「哲学のニナイ手が、外の人たち（非哲学者）に移るように努力するのが有効」とし、単に担い手だけでなくその中身についても「個別科学の厳密な方法は、尊ばれなくてはいけないが、同時に、シロウトの考え方というものも、尊ばれてよい」と述べている。[*43]

鶴見は「大衆把握の転回[*44]」をくぐりつつあった。後の時代の総括となるが、鶴見は一九七二年に「素材と方法――『思想の科学』の歴史の一断面」という文章を書いている。そこでは、先ほどの「英米思想の紹介に尽力する」などの創刊趣旨を「今、書きうつすのもつらい文章である」と述べる。

一体、鶴見の捉え方の何が変わったのか。

> 私は、自分がその形成に参画したのでもない論理実証主義の方法によって、日本の同時代を素材として見ていた。この場合、素材は状況の中におかれているが、方法は状況の外におかれ、外から中をのぞきこむ手段としてとらえられている。その方法意識は錯覚であるように、今の私には思えるのだが、その錯覚であることを知ることに、戦中から戦後にかけての年月が、私には必要だった。……方法と素材とは、いちおうの分離をしたとしても、同じ状況の中ではた

らくものとしての制約をうけている。分離する以前の方法と素材とは、同じ状況の中で、つながっている。素材として考えられているものの中に方法があり、方法と考えられているものが素材となりうるような連続性として、両者をとらえるべきだ。*45

この新たな方法と素材の観点は、次章で紹介する実例の中で改めて確認することにしよう。ともあれ、五〇年代を通じて、鶴見の書くものからプラグマティズムの用語は表面上消えていく。しかしそのことは、鶴見がプラグマティズムを放棄したことを全く意味しない。むしろ、日本社会にプラグマティズムを外から注入しようとするのではなく、そこに既にプラグマティズムが動いていることを見出し、それを自覚的に発展させる形でプラグマティズムを実践していく、そういう営みへと移行していったと考えるべきだろう。

本書が鶴見の運動論と呼ぶ一九六〇年代の社会運動との関わり（参加と言論）にも、プラグマティズムの語彙はほとんど生《なま》の形では出てこない。しかし、プラグマティズムの応用問題として対処しようとしている。いわば鶴見はこの頃から「プラグマティズムを生きた」と言えるのではないか。そのことを本書の以降の議論で明らかにしたい。

3　六〇年安保と「声なき声の会」

戦後日本にとっての日米安保

ようやく一九六〇年代に入る。ここでは、一九六〇年代の鶴見俊輔の社会運動との関わりを考えるのに欠かせない六〇年安保闘争と、そこで登場した「市民運動[*46]」である「声なき声の会」への鶴見の参加を紹介する。

とはいえ、鶴見の経験を論ずる前に、なぜ六〇年安保闘争がそれほど重大なのか、そもそも「一九六〇年代」という区切り方に、西暦での切れ目の良さ以上のどのような意義があるのか、前提として説明する必要があろう。

まず日米安保条約とは何か。敗戦後日本の国際関係の再出発は、一九五一年調印のサンフランシスコ講和条約だった。それは社会主義圏や中国・朝鮮半島との関係を欠いた「片面講和」だったとはいえ、主権国家としての日本にとっては占領の終結＝「独立」を意味した。もとより沖縄をアメリカの施政権下に残したままの「独立」だったわけだが、沖縄以外の「本土」も占領から全て自由になったかといえば、実はそうではなかった。

サンフランシスコ講和条約調印と同日に日米安保条約（「日本国とアメリカ合衆国との間の安全保障条約」＝旧安保）が結ばれている。政治学者・豊下楢彦は、当時の首相・吉田茂が講和条約調印式への出席に直前まで難色を示していたことを紹介し、旧安保条約を結びたくなかったのだと推測している。なぜなら、旧安保は米軍による日本領土の自由な利用を保障しており、「独立国」にふさわしくない内容だったからだ。ちなみにこの旧安保は、実は昭和天皇・裕仁が推し進めていたのだと、豊下は推理している。[*47]

この旧安保の「不平等」性をより対等なものに変えようという建前が、新安保への動機となった。改定交渉は五〇年代半ば以降進展し、結果的に一九六〇年に新安保条約（「日本国とアメリカ合衆国との間の相互協力及び安全保障条約」）として結実する。確かに、新安保条約では、治安条項が撤廃され、相互防衛義務が明記された。また、「極東条項」によって、米軍の無条件な日本領土使用に歯止めがかけられたように見えた。しかし交渉の過程で、それらの歯止めが全て骨抜きにされる仕組みが確保され、その結果アメリカは新条約に応じたのだった。[*48] 実際に一九六〇年代後半には、日本を攻撃から守るためという名目で存在したはずの日米安保によって、日本列島は、アメリカのベトナム戦争の兵站としてフル稼働することとなる。

つまり日米安保は、（条約の旧・新を貫いて）ある意味ではアメリカによる占領の実質的継続であり、それが戦後日本の背骨をなしている。したがってここで述べる六〇年安保闘争は、（運動参加者たちがそこまで意識していたかは別として）戦後日米関係の根幹に激震を起こし、だからこそ当時の岸信介首相も、文字どおり政治生命を賭けて何十万人（反対署名は一〇〇〇万以上と言われる[*49]）もの抗議の声を無視して新条約を成立させたのである。六〇年安保闘争の大きさは、反対運動自体への評価も重要ではあるが、上記のとおり戦後日本にとっての画期であったことは押さえておきたい。

一九六〇年代という枠組み

そして、その新安保条約が一九六〇年に成立したという偶然が、日本社会の（特に社会運動にとっての）六〇年代を区切ることとなった。

旧安保は改廃の定めがなくそのことが問題になっていたが、新安保では一〇年間の効力が保障され、その後は一方の国の通告によって終了できることが定められた。つまり新安保条約は、偶然一九六〇年に成立した一〇年後の一九七〇年に、保証された効力の期限を迎えることが確定していた。そのため、安保条約自体や米軍基地問題、あるいは前述のような日本の戦争加担を批判するベトナム反戦運動など、「一九七〇年」を意識して運動に取り組むことになる。

後に触れるように、六〇年安保闘争は空前の規模となったものの、結果的に新安保条約は成立し敗北に終わる。さらに、典型的には学生運動など、運動を中心的に担った組織の分裂を促進する契機ともなった。特に、五〇年代までかろうじて続いていた日本共産党の権威は、六〇年安保闘争で決定的に失墜することとなった。[*50]

その結果、以前から始まっていたプロセスではあったが、総評＝社会党とともに共産党系大衆団体が軸になった「革新」勢力におさまりきらない存在として、「反日共系」学生運動・政治党派（「新左翼」[*51]）および「市民運動」が、六〇年以降に明確に可視化されることとなる。そして、「六〇年安保」の記憶・教訓を踏まえたその後の運動が活発になっていく。

このように日本の一九六〇年代は、単なる西暦上の区切りである以上に、安保条約に区切られた一〇年間として、内実を伴った社会運動の時期区分として成立している。

高揚の背景

六〇年安保闘争は、しかし最初から高揚していたわけではなかった。というのも、前述のような日米安保の位置づけは当時必ずしも自明ではなかったし、またそうした巨大な政治的問題は、多くの人々の意識に響くわけではないからだ。一九五九年三月に「安保改定阻止国民会議」が結成され、統一行動を設定していくが、初期は「安保は重い」と言われ低調なまま推移した。

人々の耳目を集める役割を果したのは、「主流派」と呼ばれる日本共産党と対立関係にある指導部に率いられた全学連の運動（学生運動）だった。かれらは国会突入（一九五九年一一月二七日）や羽田空港立てこもり（一九六〇年一月一六日）など、派手な「事件」を引き起こした。同時にこれら事件は、国民会議の枠内での対立を拡大することにもなった。

決定的な契機になったのが、一九六〇年五月一九日深夜の強行採決だった。これは安保特別委員会での強行採決の後、衆院本会議での会期延長および安保条約承認まで一気に行ったもので、特に安保条約承認の採決まで一度に行うことは、自民党議員にすら周知されていなかった。時の首相は岸信介、開戦時東條内閣の商工大臣であり、敗戦後はA級戦犯容疑者としてスガモ・プリズンに収容されたこともあった。こうした岸によって行われた強行採決は戦後の民主主義を踏みにじる行為だと、既存の組織を越えて反対運動は予想を超える広がりを見せた。

その後の一ヶ月間で様々な出来事があり、たとえば六月一五日の全学連（主流派）の国会突入では東大生・樺美智子が殺された。しかし六月一九日深夜、参議院は開かれないまま「自然承認」され、安保条約は成立した。この新安保が、一九七〇年以降は自動延長され、現在も日米安保条約として続いている。

ちなみに条約批准直後（六月二三日）、岸は退陣を表明し、翌月に「所得倍増」計画で知られる池田勇人が首相となる。一一月の総選挙で自民党は勝利し、安保条約の撤回どころか野党（当時の野党第一党は日本社会党）への政権交代もできずに終わる。こうした経過の中で、安保闘争を「敗北」と見て、その総括の過程で全学連やその指導部を構成していたブント（共産主義者同盟）は分裂。一方で、「知識人」の中にはこれをある種の「勝利」と受け取った人々もいた。鶴見もまた、安保闘争を重大な意義を持った出来事と考えた。

岩波新書の日高六郎編『一九六〇年五月一九日』は、そのタイトルに見られる通り、五月一九日の強行採決とそれ以降の運動の高揚（組織を越えた広がりや人々の自発的参加）を重要視している。鶴見も原稿を分担しているが、第V章「海外の反響」で外国報道を紹介して、安保闘争自体の評価は踏み込んで書いてはいない。しかし、同書の第I章（石田雄分担）では次のように高く評価している。鶴見もこうした「感激」の近くに位置していたとは言える。

一九六〇年五月一九日、その日は、一九四一年一二月八日とならんで、国民にとって永久に忘れることのできない日となろう。……五月一九日は、一二月八日の奇襲計画［真珠湾攻撃＝対米戦争開始］に荷担した岸信介を首班とする政府によって、国民にたいする、そして民主主義にたいする政治的な奇襲攻撃がかけられた日だからである。……しかし国民自身にむけられた奇襲にたいしては、戦後国民のなかに育まれてきたすべての民主主義的な自覚が結集して、するどい抵抗の姿勢を示した。……こうして五月一九日は国民にとって汚辱の日であると同時に、新しい出発の日となる……[*52]

「声なき声の会」：「市民運動」の登場

六〇年安保闘争の経緯についてやや細かく確認したのは、「六〇年安保闘争に参加した」と一口に言っても、いつどのように関与したかで、そのイメージは異なるからだ。

意外に思われるかもしれないが、鶴見の安保闘争への参加は、当初それほど積極的なものではなかった。もちろん、「知識人」の一人として、反対運動の側にはいた。ただ、一九六〇年五月一九日の強行採決を目撃してなお、毎度の繰り返しだと鶴見自身は思っていた。

……これも、いままで何度もあった失望の一つとかんじられた。今度も、何も役に立たないままに、とにかく政府の方針が正しくないという判断の表明をすれば、それ以上のことはしなくてよいように思えた。／私としては自分の持ち場で、自分ができることをやっていればよい。さしあたってこの数年力をいれて来たのは、転向の共同研究なので、その下巻の完成に集中しようと思う方針に、新安保の強行採決は何の影響もあたえなかった。[*53]

翌二〇日も「大相撲の千秋楽のテレビを見に行って」帰ると、強行採決に抗議して中国文学者・竹内好が都立大教授を辞職したことを知った。鶴見は即座に、自分も当時勤めていた東京工業大学を辞職する。おそらくこの瞬間から、安保闘争は鶴見にとって特別な出来事となった。

そしてもう一つ鶴見の六〇年安保との関わりで欠かせないのは、「声なき声の会」である。五月二八日、岸首相は抗議行動の広がりに対してコメントを求められ、「私は国民の〝声なき声〟に耳を傾けている。いまは〝声ある声〟だけだ」と発言した。[*54] これに怒った人たちによって、「声なき声」を冠する会が複数できたという。美術教室の先生だった小林トミが始めた「声なき声の会」も、そんな動きの一つだった。

五月三一日「主観の会」（思想の科学研究会内のサークル）の帰り道、小林らは自分たち独自のデモをしようと計画を立てた。しかし連絡不足等で、六月四日当日開始時に集まったのは小林ともう一人だけ。それでも、この日のために準備した「誰でも入れる〝声なき声〟の会」のノボリを持って二人で歩き始めると、歩道から次々と参加者が現れ、終点の新橋で三〇〇人を数えるまでになった。せっかくなので連絡先を交換し、二回の集会を持った上で、同年七月に誕生したのが「声なき声の会」だった。[*55]

安保闘争の熱気の中、六〇年七月号として出された『思想の科学』は「市民としての抵抗」を緊急特集した。この号に小林も前述のエピソードを載せ、「声なき声の会」はいわば「市民運動」として認知された。

鶴見はこの「声なき声の会」に参加した。会の機関誌「声なき声のたより」創刊号（一九六〇年七月）に、鶴見は「市民集会の提案」を寄せている。そこでは「市民運動」という言い方はしていないが、鶴見がこの会の登場のどこにどのような可能性を見たのか、明らかにしている。

(1)無党無派の集会をつくろう。……(2)選言命題(あれかこれかについての意見の留保)を大切にする政治運動をすすめよう。……(3)利用主義をこえよう。……(4)無党無派の市民集会は、政治についてのシロウトの集会として運んでゆくのがよい。[*56]……

先にプラグマティズムについての鶴見の考え方を確認した際に、哲学について「シロウトの考え方というものも、尊ばれてよい」という主張を引用した。今度は政治や運動の問題で同じことを述べている。先回りして言えば、ここには政治や社会運動に対するプラグマティズムの応用という方向性が見て取れるだろう。

「声なき声の会」の事務局は、転向論以来の鶴見の盟友と言うべき高畠通敏(当時、丸山真男ゼミ出身の大学院生)が中心的に関わった。[*57]この「声なき声の会」が、次に取り上げる「べ平連」の一つの源流となる。ちなみに、「声なき声の会」自体は、二〇〇三年に小林トミが亡くなった後も、年一回の六月一五日の樺美智子への献花など今も続けられている。

4 べ平連

ベトナム戦争激化と新たな運動

六〇年安保後、鶴見個人も大きな変化に見舞われる。まず六〇年一一月に横山貞子と結婚。しかしそれもきっかけとなって、重い鬱症状が再発し、六二年頃までほとんど引きこもり状態の生活が続く。その間に、『思想の科学』を出していた中央公論社では、深沢七郎「風流夢譚」(『中央公論』一九六〇年一二月号)をめぐり右翼が社長宅を襲撃(お手伝いを殺害、嶋中社長夫人も重傷)する「嶋中事件」が起きる。そしてその直後に特集され刷り上がった『思想の科学』の「天皇制」特集号を、研究会に無断で中央公論社が発売中止・裁断処分した(思想の科学事件)。これに対して「思想の科学」としてどう対応するか、会の内部でも激しい議論が続いた。結果的にこれを契機として、思想の科学社を立ち上げ、自主刊行に踏みきることとなった。*58

ともあれ、鶴見の個人史自体ではなく、社会運動との関わりに重点を置いて六〇年安保以降を見ていこう。結論的に言えば、「声なき声の会」から「べ平連」へという日本の「市民運動」の展開の大きな流れを、鶴見は代表することとなった。

「べ平連」は「ベトナムに平和を!　市民連合」(当初は「市民文化団体連合」)の略称で、ベトナム戦争反対を訴える運動だ。そもそもベトナム戦争は、フランスの植民地だったインドシナが、第二次大戦後に統一して独立を果たせなかったことに端を発する。日本による占領を挟んで戦後は南北に分断され、社会主義を採る北ベトナム(「ベトナム民主共和国」)とフランスに支援された南ベトナム(一九五五年以降は「ベトナム共和国」)が対峙、フランス撤退後はアメリカが南ベトナムへの「援助」を深めた。

とはいえ形式的には、アメリカと(北)ベトナムとの宣戦布告された「戦争」ではなかった。南北ベトナム間の「戦争」ですらなく、南ベトナム内部のゲリラ鎮圧を主要な争いとする「内戦」だった。アメリカは、ゲリラと戦う南ベトナムに「軍事顧問」の名目で派兵した。しかし、南ベトナム政府の腐敗を含め、間接的「援助」では効率が上がらないと判断したジョンソン政権は、後にでっち上げと判明するトンキン湾事件（一九六四年）を口実に、直接北ベトナムへの爆撃を開始。これが一九六五年二月以降、恒常的な「北爆」となる。

日本をはじめ、世界中でベトナム反戦運動が広がるのは、この北爆以降のことだった。

こうした状況を受けて鶴見も、日本でのベトナム反戦運動を展開させるために動き始める。しかし、高畠通敏と相談し、既存の運動体や「知識人」では訴求力がないと考えた。そこで、『何でも見てやろう』などで知られてはいたが社会運動の領域ではほぼ「新人」と思われた小田実に白羽の矢を立てることにした。鶴見と小田は会ったことがあるという程度の関係でしかなかったが、あっという間に話はまとまり、六五年四月最初のデモが持たれ、べ平連が結成されることとなる。

一九六五年の三月、文藝春秋の画廊で富士正晴の絵の展覧会が一週間ひらかれた。……その最後の日に高畠通敏が来て、米国の北ヴェトナム爆撃に抗議する運動を起こそうと提案した。高畠は、声なき声の会の事務連絡の中心にいる人物である。……声なき声［の会］から、他のおなじような小さい会にしらせて、北爆反対のデモの相談の会をひらこうということになった。……四月はじめに本郷学士会館で相談会をひらき、五年前の安保反対運動のときよりも若い世代から指導者を求めようということに意見が一致した。というのは、みな相当にくたびれていて、自分たちよりも若い人から指導されたいという希望をもっていたからだ。……そこで、小田実にたのんでみて、彼が承知したら呼びかけ人になってもらい、さらに若い人への輪をひろげようということになった。[*59]

ここで注目すべきは、「声なき声の会」が呼びかけ団体の一つであり、鶴見と高畠はそうした関係では参加したが、呼びかけ人としては名前を出さなかった。既存の運動のイメージを避けたのだ。これについて小田は、自分は鶴見や高畠の「策謀」に乗せられた「人寄せパンダ」だったと後に書いている。[*60] また、「声なき声の会」をはじめとする複数の団体と個人の連合というスタイルで始められており、結成一年ほどは「ベトナムに平和を！ 市民文化団体連合」が正式名称だった。こうしたエピソードからは、社会運動の「仕掛け人」としての鶴見俊輔という姿が浮かび上がってこよう。

べ平連の特徴

こうして東京を中心に始まったべ平連だが、翌年の米活動家の日本全国講演旅行の前後から全国各地に「〇〇べ平連」も作られるようになる。[*61] 鶴見自身も、一九六一年から同志社大学教授となり（その後一九七〇年に大学闘争の学生弾圧に抗議して辞任）、京都に居住していたことから、六五年に結成された京都べ平連にも関わりを持った。

とはいえ、世間によく知られ、鶴見も中心的に関わったのは、自ら呼び寄せた小田実が「代表」を務める東京のべ平連（事務所の場所から後に「神楽坂べ平連」とも称された）だった。したがって本書では、「べ平連」は「神楽坂べ平連」のことを指すこととしたい。

べ平連は、社会運動として興味深い試みをいくつか行ってきた。たとえば、革命を目指す「前衛党」の存在が当然視されていた時代に、「組織ではなく運動」であることを自称した。具体的には、規約も持たず、役職は「代表」の小田実以外になく（「事務局長」などは通称でしかなかった）、ニュースの発送名簿以外の名簿もないためメンバーか否かの境界もあいまいだった。また、政治的活動を行う運動体が（社会変革を目指すために）総花的な目標を掲げるのに対して、ベトナム戦争反対の目標（ベトナムに平和を！／ベトナムはベトナム人の手に！／日本政府はベトナム戦争に協力するな！）だけを共有する「シングル・イシュー」の運動であり、したがってその目標を掲げさえすれば、誰でもベ平連を名乗ることができた。[*62]

規約もないのだとすると意思決定はどうするのか。二つポイントがあった。一つは、「組織」としての意思決定ではなく、あくまで個人単位の行動提起であり、それは提案者と賛同者の責任で遂行されるべきものとされた。発案者は定かではないが、ベ平連には「この指とまれ」の「原則」があったという。①言い出した人間がする、②人のやることにとやかく文句を言わない、③好きなことは何でもやれ。[*63] こうした「原則」の下では、具体的な行動への賛否のみが問題となり、情勢判断の相違など無意味な抽象論ということになる。「行為」を発想の拠点とする点で、実に「プラグマティック」である。また、自分で何かをしようとせず組織を牛耳って他人を動かすことを目指すような党派主義は、入り込む余地がなくなる。

二つ目に、それらはその場（事務所）に集った者たちの議論の結果として決められた。もちろん、発言の影響力の多寡は残るとしても、できるだけ平場の民主主義を実現しようとしていた。参加者にスパイの疑いが出たときは次のように対応したと鶴見は回想している。

……金と時間はかかるけれども、事務所では雑談をして、そのあとお店をひたすら梯子して、違うところに行って飯を食うんだよ。そのうちにスパイだと言われている奴は、根負けして金もなくなって脱落しちゃうんだ（笑）。／それで朝の四時か五時くらいになると、もう古くからいる何人かだけしか残ってない。そこで重要な相談、スパイにきかれては困るような相談を最後にするんだ。食い倒れ作戦だよね（笑）。疲れるけれど、デモクラティックな方法なんだよ。とにかくそれでやったんだ。*64

また社会運動のレパートリー（やり方）も斬新だった。定例デモを軸にしながら、それ以外にも、当時アメリカで始まったばかりの「ティーチ・イン」（徹夜討論集会）をおそらく日本に初めて持ち込み、自民党政治家も交えた討論の様子をテレビ中継したり（一九六五年）、米紙にベトナム戦争反対の新聞広告を出す（六五～六七年）など、人目を惹くイベントづくりも得意だった。デモや集会といった街頭行動にしても、ひたすら警察と衝突するのではなく、むしろ逆に多様な方法を模索した。一九六九年の新宿西口地下広場での「フォークゲリラ」や、警察によるデモへの妨害に抗議しての花束デモ（警察申請時の名称は「交通妨害を絶対にせず、地元の商店街に迷惑をかけず、花束をくばりながら歩く平和的デモ」）などが行われた。

さらにべ平連の特徴といえば、先ほどの「組織ではなく」という点とも関連して、「個人原理」が重視された。たとえば「国際会議」や「国際連帯」も、組織同士の関係ではなく、海外の「知識人」

や活動家との直接連絡をとることでそれらを実現した。一九六六年には日米市民会議が開かれ、会議の最後には「個人条約」が結ばれた。一九六八年には、京都国際会議場を借り、反戦国際会議を開催した。べ平連はいくつもの顔を持つが、そのうちの一つは、こうした創意に満ちた華やかな活動という側面だったただろう。

非暴力直接行動と脱走兵援助活動

べ平連の活動の重要な一部であり、かつ鶴見俊輔との関わりが深いものとして、べ平連における非暴力直接行動と脱走兵援助活動も無視できない。

ただし前者は、まだその歴史の全貌は明らかになっていない。黒川創が中心となってまとめた『鶴見俊輔さんの仕事⑤　なぜ非暴力直接行動に踏みだしたか』によれば、一九六六年にべ平連内（べ平連参加者を軸に広がった関係）で「非暴力反戦行動委員会」（後に「非暴力反戦行動」）が結成され、アメリカの北ベトナム攻撃（ハノイ爆撃）に抗議して同年六月以降、米大使館前や、佐藤首相出発時の羽田空港前での路上座り込みを実行した。この非暴力実力行動の中心に（他のべ平連関係者とともに）鶴見もいた。

たとえば、一九六七年一〇月七日、この非暴力直接行動の人々が羽田空港前で座り込みをしている。この翌日には、ヘルメットと角材で「武装」した学生部隊が機動隊に「勝利」する一方、京大生・山崎博昭が殺された、（第一次）羽田闘争があった。つまり、学生と機動隊の物理的衝突（「実力闘争」）が世間の耳目を集めたのとまさに同時期に、非暴力直接行動で世の中を変えようとした人たちが動いていた。鶴見はこの後者の潮流をつくり出す側にいた。

ちなみに、同年一一月一一・一二日とかれらは連日羽田空港前に座り込み、一二日は座り込んだ一人が全員逮捕されている（鶴見は逮捕されていない）。ところで、この同時代に、地味な非暴力の行動とはうってかわってベ平連が世間を騒がせることになったのが、脱走兵援助活動だった。

最初は米空母イントレピッドからの四人の脱走兵が、偶然ベ平連に匿われることから始まる。以前から、横須賀米軍基地前での戦争への不参加を呼びかけるビラ撒きなど、ベ平連も脱走を呼びかけることはしていた。しかし当事者も、まさか本当に脱走兵が出てくるとは思っておらず、また脱走兵もそのチラシでベ平連にたどり着いたわけではなかった。いずれにせよ、この脱走兵をベ平連は匿い、存在ごと「隠滅」されないよう声明を記録映画におさめ、ソ連船を利用して出国させる。先の非暴力の座り込みからも間もない一一月一三日に、かれらが公海上に出たタイミングで記者会見を開いて、世間を驚かせた。この記録映画や記者会見でも鶴見俊輔は、小田実などとともに中心に映っている。

その後次々と現れる脱走兵に対して、ベ平連は秘密運動体としてＪＡＴＥＣ（「反戦脱走兵援助日本技術委員会」、ただしこの「和訳」は後からテキトウにつけたという）を準備、「イントレピッド四人の会」を表の支援団体としてつくった。とはいえ、ＪＡＴＥＣは、司令役は任命されたものの、これまでのベ平連関係者が必要に応じて協力することに変わりなく、鶴見も脱走兵の面接のほか、国内の脱走を手伝い、一時は姉・和子と病床の父・祐輔の住む自宅に脱走兵を泊めたこともあるという。[*65]

脱走兵援助活動も時代によって変化した。一九六八年一一月のスパイ侵入による出国ルートの暴露（弟子屈事件）、それによる第二次ＪＡＴＥＣの開始と新たな出国方法の模索、そして一九七〇年に入ると米軍に戻り裁判で闘うという「反戦米兵援助」への方針転換などがあった。[*66] 特に、反戦米兵援助においては、米軍基地で初の日本人特別弁護人として、鶴見は戦争参加拒否を擁護する弁論を行った。[*67] ここには、一兵士として殺人を命令される恐怖に怯えた鶴見の戦争体験の反省（生き直し）が見られるように思われる。

いずれにせよ、非暴力直接行動や脱走兵援助活動を含むような、多様で活発なベ平連の運動に鶴見は中心的に関わった。そのベ平連は、アメリカのベトナム撤退が現実化する中、一九七四年一月に解散した。力尽きてやめるのではなく、「シングル・イシュー」の目的を果たしたから自ら解散すること自体、社会運動において珍しく、ベ平連の特徴の一つをなしたとも言えるだろう。

5　一九七〇年代以降をどう見るか

その後の社会運動との関係

本書が中心的に取り上げる『日常的思想の可能性』は一九六七年刊行であり、当然その時点までのことしか盛り込まれていない。また、鶴見俊輔と社会運動という文脈で考えて「一九六〇年代」という区切り方をしても、ベ平連解散の一九七四年は実はそこからはみ出ている。とはいえ、本書では、六〇年安保からベ平連までの鶴見を、「六〇年代の活動」としてくくりたい。そうすると、ベ平連後の鶴見は、本書から見れば「後史」ということになる。

鶴見はベ平連への参加でだいぶくたびれたようだった。一九二二年生まれの鶴見はベ平連に四〇代で関わり、解散時には五〇代に入っていた。

「声なき声」から出発してつくったベ平連が小田実の力でものすごい大きな運動になって、こんどは逆にこれに引きずり回されてね、ベ平連がつづいているあいだは大変だった。運動が大きくなって、それが専任も一人もいない運動でしょ、だから運動をやる気のある者は駆け回って一生懸命やる。いつでも駆けてなければいけないわけだ。……事務の中心に吉川勇一がいたけれども、私もそのそばにいる何人かの一人で、家計は傾いてくるし、もう最後はつぶれそうだったんですね。[*68]

また、先にも述べたように「正義の人」への不信を抱え続けており、「正義」の社会運動の当事者と見られることにも違和感があったようだ。一九六九年に七〇年安保を見据えてベ平連から「週刊アンポ」が発刊されるが、その頃に怪我をしてベ平連を少し離れることができた。当時をこう振り返っている。

このころは、ベ平連がふくれあがってゆくなかで、いろいろなところで次々にできるベ平連のためにはなしをしにゆく仕事があり、私は講演が不得手なので、自分が偽善者なのだという思いがそだってきて、くらい気分だった。[*69]

とはいえ、ベ平連解散後も全ての社会運動から切れたわけではない。七〇年代、韓国の詩人・金芝河への死刑判決が出たことへの救援活動など、韓国民主化のための日韓連帯運動が取り組まれる。ここで鶴見は、日本側の非マルクス主義の「知識人」として、金芝河との面会やハンストなど、積極的に関わっている。[*70] ただ、ベ平連の頃に比べれば、年齢的な問題もおそらくあり、社会運動の前面に出ることは次第に少なくなったと思われる。

しかしそのことは、鶴見の社会的影響力の低下を意味しなかった。むしろ、論壇における価値は増したように見える。一九六〇年代も続いていた社会主義信仰、あるいはベトナム戦争に象徴される民族解放闘争を軸にした第三世界主義は、中国の文化大革命の終焉やカンボジアのクメール・ルージュ政権による大虐殺などによって、七〇年代末にはその魅力をほぼ全面的に失いつつあった。その中で、マルクス主義に「同伴」はしても、自らは非マルクス主義の立場を貫いた鶴見の主張は、価値を毀損されず、その後の時代にも通じる「理論」として生き残ったのではないか。

私がそう考えるのは、九〇年代以降の旺盛な著作集等の刊行である。既に一九七五―七六年に全五冊の著作集を筑摩書房から出していたが、九一年から『鶴見俊輔集』として再編集され、正続計一七冊にもなった。また一九九六年には晶文社から『鶴見俊輔座談』全一〇冊も出ている。相当の愛読者がいなければここまでの刊行はないだろう。

「後史」をあえて軽視する

ただ、その後も盛んに執筆・発言を続けた鶴見については、回想などの証言部分を除き、本書は重視しないつもりだ。特に晩年に近づくにつれ、さすがに指摘の鋭さは失われ、似たような話の繰り返しが目立つようになり、座談では弛緩した放言が目につく、と個人的には感じる。そこには、単に加齢以上に、前章で見た「鬱」からの解放（その緊張感の融解）があったのかもしれない。

さらに、本書の主題で言えば、やはり社会運動の現場との距離ができたことが、社会的発言の緊張感を失わせたのではないか。あらかじめ政治的である場で、それとの関係で何かを発言すれば、政治的波紋を必ず生じさせることになる。しかし、そこから離脱して、個人的な「哲学」として語れば、その反応は鶴見個人に向けられるだけとなるだろう。プラグマティズムにしても、二〇〇六年の黒川創らとのやりとりの中で、その達成について「私からの影響はなきに等しい。私自身が達成できたものは、自分が自分を保っていることだけでしょう」と自己評価をくだしている。[*71]

可能性すら開示しようとしないこの診断が著しく過小であることは自明だろう。いずれにせよ、本書は晩年に向かってのこうした鶴見の言論の多くをあえて軽視することとした。[*72] それは鶴見論としては「偏向」かもしれない。しかし「鶴見信者」ではない私としては、一九六〇年代に鶴見が書き残したもののポテンシャルを最大限引き出すことに興味があるのだ。

＊1　鶴見は、『私の地平線の上に』をはじめ、エッセイの随所で自分の経験を語っているが、そうしたもの以外にまとまった伝記的インタビューとしても、『期待と回想　上下』や『戦争が遺したもの』などがある。また二〇一八年には晩年の鶴見と親しく付き合った黒川創が『鶴見俊輔伝』を刊行した。黒川は、それ以前から鶴見についての事実整理・歴史化を持続的に行っており、特に本章は黒川のこうした仕事に多く依拠している。
＊2　黒川創、『鶴見俊輔伝』、五九ページ
＊3　鶴見俊輔、「私の母」、三七〇ページ
＊4　鶴見俊輔、『言い残しておくこと』、一四－一六ページ
＊5　『鶴見俊輔伝』、七一ページ
＊6　都留重人、『いくつもの岐路を回顧して』、一四六ページ
＊7　鶴見俊輔、『期待と回想　上』、二一ページ
＊8　鶴見俊輔、『期待と回想　下』、一九四ページ
＊9　鶴見俊輔、『悼詞』、三五八－三五九ページ。ここでは「哲学の教師」となっているが、この引用部分の後には「世界史の中の日本の動きについて、この七〇年間、時代の区切り目ごとに、私は都留重人から示唆を得てきた」とある（三六〇ページ）。
＊10　鶴見俊輔・加藤典洋・黒川創、『日米交換船』、八二ページ
＊11　『いくつもの岐路を回顧して』、一二六ページ
＊12　『いくつもの岐路を回顧して』、一二九ページ
＊13　鶴見俊輔、『北米体験再考』、八ページ
＊14　自身がマルクス主義者にならなかった、という文脈ではあるが、都留と南博について、「この二人から多くを教わりましたが、私の立場［アナキズム］は動かなかった」と述べているのは興味深い。『期待と回想　上』、一八八ページ
＊15　「自由主義者の試金石」を書いた都留事件の際に、自身の白髪に気づき、「都留さんが自分のなかに非常に深く入っていた」ことを発見したという。『日米交換船』、六一ページ
＊16　『北米体験再考』、一三ページ
＊17　『鶴見俊輔伝』、一四六－八ページ
＊18　鶴見俊輔、『「思想の科学」私史』、八〇ページ
＊19　鶴見俊輔・司馬遼太郎、「「敗戦体験」から遺すべきもの」、二〇ページ
＊20　鶴見俊輔・上野千鶴子・小熊英二、『戦争が遺したもの』、五三－五四ページ
＊21　林博史、『BC級戦犯裁判』、六六ページ
＊22　『戦争が遺したもの』、五七ページ以降
＊23　ただし、入れ替わるようにGHQの検閲が行われたが、鶴見はこの問題についてほとんど語っていないようだ。
＊24　『期待と回想　上』、五七ページ
＊25　『「思想の科学」私史』、六九、七二ページ

＊26 天野正子・安田常雄編、『戦後「啓蒙」思想の遺したもの』
＊27 『戦後「啓蒙」思想の遺したもの』、八−九ページ
＊28 『「思想の科学」私史』、七一−七二ページ
＊29 『しんぶん赤旗』二〇〇三年一〇月三一日　https://www.jcp.or.jp/akahata/aik2/2003-10-31/01_04.html（二〇二三年三月三〇日閲覧）
＊30 『期待と回想　上』、二一八ページ
＊31 『「思想の科学」私史』、九三ページ
＊32 鳥羽耕史、『一九五〇年代』
＊33 鶴見俊輔・上坂冬子、『対論・異色昭和史』、三ページ
＊34 鶴見俊輔、「素材と方法」、四四一ページ
＊35 『「思想の科学」私史』、六八ページ
＊36 鶴見俊輔、「哲学の反省」、二四〇ページ
＊37 「哲学の反省」、二五三ページ
＊38 鶴見俊輔、『アメリカ哲学』、九七ページ
＊39 『アメリカ哲学』、一〇四ページ
＊40 『アメリカ哲学』、一九ページ
＊41 藤野寛、「「言葉の力」をめぐる考察」、五三ページ
＊42 『アメリカ哲学』、一六八ページ
＊43 『アメリカ哲学』、一七二ページ
＊44 和田悠、「鶴見俊輔と「思想の科学」の一九五〇年代」、二四四ページ
＊45 「素材と方法」、四三九ページ
＊46 筆者は「市民／市民運動」について、定義困難な用語だと考えている。そのため歴史上の呼称としてカギカッコつきでのみ用いる。松井隆志、「「市民」概念の歴史的再検討」参照。なお鶴見自身も「市民」の語は積極的には使っていない。
＊47 豊下楢彦、『昭和天皇の戦後日本』
＊48 吉田敏浩ほか、『検証・法治国家崩壊』
＊49 日高六郎編、『一九六〇年五月一九日』、一〇三ページ
＊50 吉本隆明、「擬制の終焉」
＊51 筆者は、英語圏で言われる「ニュー・レフト」と日本のいわゆる「新左翼党派」を区別すべきだと考えている。したがって、後者をカギカッコつきで「新左翼」と呼んでいる。松井隆志、「一九六〇年代と「ベ平連」」参照。
＊52 『一九六〇年五月一九日』、四六ページ
＊53 鶴見俊輔、「いくつもの太鼓のあいだにもっと見事な調和を」、五五ページ
＊54 大井浩一、『六〇年安保』、第八章
＊55 小林トミ、「〝声なき声〟の行進」
＊56 鶴見俊輔、「市民集会の提案」、五三ページ
＊57 小林トミ、『「声なき声」をきけ』
＊58 『鶴見俊輔伝』、第四章
＊59 鶴見俊輔、「ひとつのはじまり」、一一ページ。ただし小田実の名が挙がるまで実際にはもう少し複雑な経緯があった

ようだ。平井一臣、『ベ平連とその時代』参照。

＊60 小田実、『「ベ平連」・回顧録でない回顧』、二四ページ

＊61 平井一臣、『ベ平連とその時代』、一〇五ページ

＊62 「一九六〇年代と「ベ平連」」

＊63 吉川勇一、『市民運動の宿題』、一四五－一四六ページ

＊64 『戦争が遺したもの』、三八一ページ

＊65 『鶴見俊輔伝』、三六五ページ

＊66 関谷滋・坂元良江編、『となりに脱走兵がいた時代』、一五〇－一五二ページ

＊67 『鶴見俊輔伝』、三七四－三七六ページ

＊68 鶴見俊輔・安丸良夫、「日本の思想と民衆思想」、一九四ページ

＊69 鶴見俊輔、『鶴見俊輔集8　私の地平線の上に』、五六五ページ

＊70 室謙二編、『金芝河』

＊71 鶴見俊輔、『たまたま、この世界に生まれて』、二二九ページ

＊72 粉川哲夫は、序章で批判的に言及した「白塗りのモノを棄てる」という言い方に対して、「誤解する権利」（次章で触れる）以上に「誤解する義務」すら求められているのではないか、と述べている（「存在への耄碌」、一四九ページ）。鶴見の発言から何を受け取るかは、今に残る者の仕事である。

第2章

『日常的思想の可能性』を読む

この章では、いよいよ本書の主題でもある、
1967年刊行の『日常的思想の可能性』を読んでいきたい。
この書籍は、単一のテーマを意図して書かれたものではなく、
収録された論文も時間軸の幅がある。そのような論文集が、
なぜ「社会運動論の書」であるのか。同年刊行の『限界芸術論』など、
鶴見のほかの書籍も脇に置きながら、じっくりと読み込んでいく。
キーになるのは、「言葉」、「サークル」、「合成と成長」。
これらの概念が、いったいどのように、私たちの日々の生活、
ひいては日本社会をより良きものに導いていくのだろうか。

1　プラグマティズムによる社会運動論：『限界芸術論』との対比から

プラグマティズムの書として

本書は、「社会運動と鶴見俊輔」について考えるための中心的文献として『日常的思想の可能性』を取り上げる。本章では、同書が「社会運動論」としてどう読めるのかを論ずる。

とはいえ、この本を位置づけるために、別の本に迂回するところから始めたい。同じ一九六七年に刊行された『限界芸術論』（勁草書房）との比較だ。筑摩書房から出た『日常的思想の可能性』の奥付が一九六七年七月刊。その三ヶ月後の一〇月付で出版されたのが『限界芸術論』である。

「限界芸術」という言葉は聞き慣れないが、冒頭に収録された「芸術の発展」（一九六〇年）で提出された概念で、「Marginal Art」の訳語とされる。つまり、「芸術」概念の縁《ふち》、芸術でないものとの境界に位置づけられるような対象を指す。「限界芸術」が接しているのは、労働や技術あるいは遊びなど全てを含む「生活」だ。

今日の用語法で「芸術」とよばれている作品を、「純粋芸術」（Pure Art）とよびかえることとし、この純粋芸術にくらべると俗悪なもの、非芸術的なもの、ニセモノ芸術と考えられている作品を「大衆芸術」（Popular Art）と呼ぶこととし、両者よりもさらに広大な領域で芸術と生活との境界線にあたる作品を「限界芸術」（Marginal Art）と呼ぶことにしよう。*1

「芸術」は「たのしい記号」だという規定から同論文は始まる。美しい、楽しいと思わせるものが「芸術」であり、遊びの中での「新聞紙でつくったカブト」とか商売上での「あめ屋の色どったおしんこ細工」とかの、「生活の様式でありながら芸術の様式でもあるような両棲類的な位置」が「限界芸術」だ。[*2]

『限界芸術論』は文化論としてオリジナリティがあり、日本独自の「カルチュラル・スタディーズ」の源流としても評価される。そうした評価も適切だろうが、本書にとってより重要なのは、「限界芸術論」がプラグマティズムの応用であることだ。この点は、「鶴見＝プラグマティズム」という等式が自明なせいか、これまであまり指摘されてこなかったように思われる。

経験全体の中にとけこむような仕方で美的経験があり、また美的経験の広大な領域の中のほんのわずかな部分として芸術がある。……いいかえれば、美が経験一般の中に深く根をもっていることと対応して、芸術もまた、生活そのもののなかに深く根をもっている。[*3]

哲学と生活は本来連続的な営みであり、遊離した哲学を生活の方向に埋め込み直そうとするのがプラグマティズムだった。芸術もまた、右の引用のとおり、美的経験という通路で本来は生活と地続きのはずのものだ。したがって、「純粋芸術」や「大衆芸術」といった明らかに「芸術」範疇に入るものについてではなく、芸術と生活の「両棲類的」位置の「限界芸術」を探ることは、芸術における

「プラグマティズム」的探求を意味することになろう。つまり同書も、前章で見たように、「プラグマティズム」の語を出さずにその応用を実践していった一事例と言える。

二冊の棲み分け

巻頭の「芸術の発展」論文は、先に触れた「限界芸術」の視点を導きとして、柳田国男・柳宗悦・宮沢賢治の仕事を論じる。またそれ以降の収録論文では、小説・マンガ・歌・ラジオ・テレビなどの幅広い「文化作品」を取り上げている。『限界芸術論』はそうした書物だ。

この本と同年に（少し先駆けて）出されたのが、『日常的思想の可能性』なのだ。もとより、両著作ともそれぞれ時間幅のある論文集であり、どちらについても単一の意図で貫かれた書物とは言えない。だが、同時並行で論文集が二冊編まれるとき、それまで書いたものが無秩序に割り振られたとは考えがたい。磁石のようにそれぞれの極にふさわしい文章が吸い寄せられていったはずだろう。

ちなみに、鶴見俊輔は「編集者」でもあった。前章で触れたとおり、敗戦直後から（断絶は挟みつつも）『思想の科学』を編集し続けていた。「編集者としての鶴見俊輔」を評価する発言は多い。[*4] そうした鶴見が、深く考えずに文章を集めたとは思えない。

『限界芸術論』がプラグマティズムによる文化論だったとすれば、『日常的思想の可能性』は「社会」系の論文集と言えそうだ。念のため『日常的思想の可能性』の目次を掲載しておこう（ページ数省略、カッコ内は「初稿」発表年）。

I

日本思想の可能性　（一九六四年）
字引について　（一九六五年）
言葉のお守り的使用法について　（一九四六年）
かるたの話　（一九五五年）
日本思想の言語——小泉八雲論　（一九六五年）

II

サークルと学問　（一九六三年）
家の思想　（一九六五年）
『ガロ』の世界　（一九六五年）
『荒地』の視点　（一九六五年）
編集者の思想　（一九六五年）
大学教育のねうち　（一九六五年）
補助線の必要——ユンボク著『ユンボギの日記』について　（一九六五年）
『深夜通信』の美学　（一九六五年）
分裂の季節　（一九六五年）

まず、「社会運動」という点では、III部で明示的に一九六〇年代の運動に関わる文章が並べられているのがわかる。序章で触れたように、そのことが同書を中心的に扱う第一の理由である。では、I

部やII部はどうなのか。

I部は、「言葉」を中心とした論考が多い。その点で、これは「文化」を扱っていると言えなくもない。だがそうであればこそ、I部の文章が『限界芸術論』にではなく『日常的思想の可能性』に収録されていることにはそれなりの意味があると考えるべきだろう。選別が漠然としたものでないからこそ、これらの論文はこちらに集められたと考えたい。一方II部は、表題だけ見ると雑多な要素が並んでいる。それでも、サークル、学問・教育、体験などがキーワードになりそうだ。

「言葉」に始まり、「サークル、学問・教育、体験」を経て、「社会運動」へと至る。記事の素材別や時系列順での収録ではない。I部からIII部へのこの配列自体に、ある種の論理が組み込まれているように私には思える。

私の考えでは、I部の「言葉」へのこだわりは、プラグマティズムの原理論として読める。II部は、その原理を踏まえた方法論、社会運動に引きつけて言えば、それを実践するための集団論と言える。そしてIII部は、これらの応用(実践例)としての社会運動論だ。そしてこれは鶴見の経歴、つまりプラグマティズムを学び、「思想の科学」に関わる経験などを経て、社会運動へとコミットしていく、その流れが自然に納得できる構成になっているとすら思える。

もちろん、これまでに書いたものを編集したものだから、前述の原理・方法・応用という分類は、実際にはどの文章にも混ざり合った状態で存在し、収録位置を変更してもそれほど不自然でない場合もあろう。とはいえ、〈編集者・鶴見〉がこの選別と配列で同書を編んだことに、積極的に意味を見出してみたい。

誤解する権利

本章の以降の議論では、『日常的思想の可能性』収録の文章を具体的に紹介しながら、前述の見方の妥当性を探っていきたい。

ただし、頭から逐一精読しても退屈だ。それに、先にも述べたとおり、私の見立てと同書の全文章とは厳密な対応関係にはない。したがって、同書全てに律儀に立ち寄れば、「社会運動論の書」としての輪郭はもちろんぼやける。そこで、私の問題意識の裏づけとなるような文章を抽出し、その紹介を通じて同書全体の企図を再構成することとしたい。

言うまでもなくこれは論証方法として恣意的で、『日常的思想の可能性』が社会運動論の書物であるという仮説は「証明」されない。だが、実はそのことはたいした問題ではない。鶴見論（解釈）としての本書の議論に恣意性が残るとしても、そのことは『日常的思想の可能性』が社会運動論の書で**はない**ことは意味しない。そして、本書にとって最も重要なのは、鶴見俊輔が本当のところどう考えたかでは実はなく、その書き残したものを踏まえて、どのように有益な知見を引き出すことができるか、という点にある。

鶴見は一九五九年に映画評論集『誤解する権利』（筑摩書房）を刊行している。その最後に収められているのが「誤解権」と題された一九五八年の短文だ。そこでは、論争の多くが相手の文章を誤解して「ワラ人形たたき」をしがちな一方、様々な解釈を許容するような行動をとることで「誤解される権利」を行使する場合もあると述べ、その「誤解する／される権利」を踏まえて次のように文章を結ぶ。

職業上、論争にこたえる義務をおわされることがよくある。だが、誤解をとくという消極的な作業は、精神衛生的によくないばかりか、客観的に無益でもある。論争という活動がもともと誤解する権利の活発な行使を前提としている以上、むしろわれわれは、誤解される権利を十分に活用して、自分で考えて意味のあると思う行動をどんどんつみかさねてゆくべきではないか。日常のつきあいの世界でも、誤解される権利をもっと活発に行使してゆくほうが、からっとした空気をつくれるように思う。[*5]

鶴見はある時期から、批判されてもそれに反論することはなくなり、また他者を明示的に批判することもしなくなった。この「誤解権」の提唱は、そうした鶴見の「原則」の理由を説明したものだと言える。[*6] また、「自分で考えて意味のあると思う行動をどんどんつみかさねてゆくべきではないか」という提案は、前章で触れたべ平連の「この指止まれ」の発想とも（それは鶴見の提唱ではなかったと思われるが）深く響き合っている。

いずれにせよ、仮に本書の鶴見理解が「誤解」であったとしても、そのことによって生産的な認識が生まれるのであれば、「誤解権」を提唱する鶴見が腹を立てることもないはずだろう。

2 「言葉」を通した日本社会批判

「かるたの話」

さて、『日常的思想の可能性』の内容に入る。先に触れたように、I部は「言葉」をめぐる論考が集められている。なぜ「言葉」なのか。私はこれをプラグマティズムへの入口として読む。

その点で真っ先に取り上げたいのが「かるたの話」だ。初出は一九五五年の『思想の科学』で、同書内では、後述の事実上のデビュー作「言葉のお守り的使用について」に次いで古い。

同論文は、「かるた遊び／かるた取り」のあの「かるた」の歴史をたどるところから始まる。第一節は古代エジプトからヨーロッパに至る流れで、「予言の道具から遊びの道具に変質する」転換が紹介される。[*7]第二節はそれが日本に伝来して以降の話で、「歌留多」とも書かれるがポルトガル語が語源であり、花札（花かるた）はその影響を受けていることなどが触れられる。しかし同論文の主役は、実は日本におけるもう一つの「かるた遊び」としての「歌かるた」の流れだ。中でも各地の民衆のことわざを集めた「いろはかるた」に焦点が当てられていく。「いろはかるた」は「予言」「遊び」の他に「教育」という要素を付け加えたと鶴見は言う。

しかし、ここまでの「かるた」の歴史記述自体は、鶴見のオリジナルな指摘ではない。独自の展開を見せるのは第三節からだ。無数の解説文章が書かれた教育勅語と対比して、「いろはかるた」の民衆への浸透力・影響力を、鶴見は次のように書く。

……日本各地の地方民衆の手によって編まれ誰しらぬもののないことわざの選集となった「いろはかるた」は、実際のはたらきにおいては、教育勅語にまして、この百年余りの日本人の生活のしるべとなって来た。勅語によって国民精神総動員されたり、一億玉砕の依頼をうけたりしたときにも、「いろはかるた」は、勅語にたてつかずに、それをまにうけることもなく適当に生きるすべを国民に教えていた。*8

鶴見はなぜ「いろはかるた」に着目するのか。

「いろはかるた」は曖昧だ。採録されていることわざは、「一つの文になっていない句が多い」。こうしたことわざは、「命題」には至らない、その部品としてのみ使われている。「目の上のたんこぶ」が存在するとして、それが何だというのか。「ある人にとって邪魔だ」という以上の文脈は、受け取る側が用意することになる。鶴見の表現で言えば、「今後、どういう命題の中にでも組みいれられうる幾つもの方向にたいして打ちひらかれている」。それは「民衆の智恵」を表しているし、同時に「日本の思想的伝統」の便乗主義の性格をも示している。*9

「いろはかるた」の潜勢力

「いろはかるた的思想」は、学校教育で習う近代的発想の「体系的思想」と対比される。いくつかの留保をしつつも、鶴見は「いろはかるた的思想」に肩入れして議論を進めていく。先回りして言えば、外来思想や学校教育という正解が外にあってそれをひたすら「学習」するのではなく、民衆の発想というボトムアップから本来の「体系」的な考え方へと至る道が、「いろはかるた」を素材に構想される。

民衆の会話を採録すると、「かるたの文句にあるような気のきいた言い回しを、次から次へとくり出してくる」。その「発想の奇抜さ、独創性」に鶴見はおどろく。[*10] とはいえ、この点に感激するだけではいけない。なぜなら、そうした評価は「発想の段階」重視に過ぎず、「体系だ［立］って考えること」を欠くからだ（「感激派」批判）。しかし逆に、「体系」を持たない点で「いろはかるた」を全否定するのは、「近代思想」の演繹だけを「思想」として重視しているに過ぎない（「否定派」批判）。さらに、この全肯定・全否定の外部に、「思考における実行の段階をきりはなしてそれだけを重視する」、つまり理屈はいいから結果さえ出れば良しとする多くの人々がいる（「無感動派」）。こうして、「いろはかるた」を素材に、日本社会における三つの思考法（感激派・否定派・無感動派）を抽出している。

鶴見は、「いろはかるた」自体に一面性があることを前提としながら、「感激派」「否定派」「無感動派」の三つの見方が分断されていることを「日本の思想の弱さ」と考える。鶴見が「いろはかるた」に注目するのは、むしろ「発想・演繹・実践のよりよい結びつき」を考えるためだ。

「いろはかるた」的な考え方は、［「外来思想を庶民的に表現すべき」という類いの］表現の段階だけに入ってくるものではない。それが力を発揮するのは、発想の段階なのだ。またもっと副次的には、思想の進行をこころよくさせる力として、演繹の段階においても、助けを貸すことがある。そして、最後に、実行の段階では、人々をある行動へとかりたてる力をよび起こすものとして、力を発揮することがある。[*11]

「発想・演繹・実践（実行）」という切り分け方に着目すべきだろう。プラグマティズムの立場では、行為に結びつき成果をもたらすことが思想の有効性を保証する。そのため、やみくもに「実践」すれば良いのではなく、なぜそうなるのかについて筋道が明晰にされる必要がある。だから「無感動派」ではだめで、「演繹」のプロセスは重要だ。ここに、「記号論」を重視した鶴見の初発の問題意識を見ることもできよう。一方で、単に輸入品の「演繹」では、そもそもなぜその「実践」が必要なのか不明のままであり、場合によっては有害な結果すら起こりうる。鶴見は特に日本の「学者」にこの「否定派」の姿を見て次のように批判する。

民衆の会話のなかにあるいきいきとした発想と対照して、明治以後の日本の学者の仕事がどんなに貧弱な発想しか指し得なかったかを考えたい。かれらは、ゆたかな発想源を用意することを怠ったのだ。ゆたかな発想源をもつことは、生活の中に深く根をはる以外にない。くらしの中のどんな卑しい通路をとおしてはいあがってきた観念でも、それは、演繹と実践とのテストにかけて、重大な思想にのびるきっかけとならないものでもない。[*12]

鶴見プラグマティズムの輪郭が、実によく示されている。「発想」の部分で「生活の中に深く根をはる」ことと、そこから論理をくみ上げていくことの必要性が主張される。「いろはかるた」はそのために有意義な素材なのだ。

なお、同論文の末尾では、「かるた」を買うより「自分でつくってたのしむのがよい」とも提言されている。「[「かるた」を自分でつくることは]思想と無縁なことではない。思想を源流にもどし、もう一度、自由な航路に旅立たせることに役立つと思う」という同論文の結びの文章は、「芸術」を「生活」に引き戻して考えようとする「限界芸術」論を想起させる。

「言葉のお守り的使用法について」

「かるたの話」では、「発想・演繹・実践」のつながりの取り戻し方を論じた。しかしそもそも、なぜこれらはつながっている必要があるのか。つながりが切れているとき、どのような弊害がもたらされるか。そうした負の事例を表現したのが、「言葉のお守り的使用法（お守り言葉）」という概念（鶴見の造語）である。

『思想の科学』創刊号（一九四六年五月号）に掲載された「言葉のお守り的使用法について」は、まず言葉を「主張的／表現的」に二分する。前者は真偽判定が可能なもののための言葉で、後者はそれ以外の目的の言葉を広く含む。そして、「主張としてつかわれる文章」を「主張的命題」、「表現としてつかわれる文章」は「主張的命題」以外のものが幅広く含まれるので「準表現的命題」だと区分される。だが、外見上「主張的命題」に見えるが実際にはそれを目的としていない文章がある。それを「ニセ主張的命題」と呼ぶ。

これからとりあげる言葉のお守り的使用法とは、言葉のニセ主張的使用法の一種類であり、意味がよくわからずに言葉をつかう習慣の一種類である。言葉のお守り的使用法とは、人がその住んでいる社会の権力者によって正統と認められている価値体系を代表する言葉を、特に自分の社会的・政治的立場を守るために、自分の上にかぶせたり、自分のする仕事の上にかぶせたりすることをいう。*[13]

具体例を挙げた方がわかりやすいだろう。典型的には戦前来の「国体」「日本的」「皇道」などの言葉や、それに関わるスローガンだ。これらの言葉は「これさえ身につけておけば自分に害をくわえようとする人々から自分をまもることができるし、この社会で自分にふりかかりやすい災難からまぬかれることができるという安心感を、この言葉をつかう人々に与えた*[14]」。最初は、利用法やそれにともなう「義務」は比較的ゆるやかだった。だが、満州事変の頃から「お守りをつける自由」はせばめられていった。より「好戦的思想」を持つ人々に「独占」されるようになる反面、「お守りの効力」を増大させた。

理論的にすじが通らないと考えられる思想でも、その論理的帰結を考えてみればきわめて残虐な思想であっても「八紘一宇」とか「肇国の精神」のふれこみがあれば承服せざるを得ないという時代がきた。*[15]

通常は「ファナティックな国家主義」の高まりとして捉えられる現象を、鶴見は、実体と遊離した言葉（「ニセ主張的命題」）がどのような機能を果たしたか、という観点から分析しようとする。この論文のアイディアを、鶴見は軍隊経験の中で得たという。

［留学から帰国当時］記号論が新しい哲学の考え方だと思っているから、日本に帰ってきて海軍に行くんだけど、軍隊では部下を殴る前にかならず演説をするんだ、頭のてっぺんから声を出して。しかもこの演説、くり返しが多いんだ。それを「これは独特のシンタティックスだな」と思ったり、「こういう演説は英語でなんというんだろう。ペップ・トークだな」とかね。「日本の軍隊のペップ・トークを、どう分析したらいいだろうか」――それが、「言葉のお守り的使用法について」という文章になる。[*16]

この証言から、「お守り言葉」のアイディアがプラグマティズム（記号論）に根ざしていたこともわかる。そしてそれ以上に戦争体験が鶴見にこの問題意識を与えていた。

とはいえ、同論文で「お守り言葉」の問題自体が敗戦によって消滅したとは考えていないのも興味深い。敗戦時も「国体護持」の「お守り言葉」で乗り切り、その後の占領下で「八紘一宇」「肇国の精神」はさすがに「舞台の回転とともに流行からはずされた」。しかしそれに変わって「アメリカから輸入された『民主』『自由』『デモクラシー』」などが新たな「お守り言葉」として盛んに用いられた。[17]

「お守り言葉」の弊害と克服

したがって、戦時体制が終わったから「お守り言葉」の問題も解決したわけではない。むしろ戦後のこれからの課題として、鶴見は同論文を提出した。

ただしこの時代（五〇年代まで）の鶴見の処方箋は、その後の立場と比べれば明らかに啓蒙色が強く、特に記号論を含めた「科学」的解決への期待は強かった。たとえば同論文において、「お守り言葉が これほど大きな役割を直接政治の上にはたすことは、現代の文明諸国ではめずらしいことだ」とみなし、その背景として「封建性」・「貧困」・「ふるいことに価値の規準を求める習慣」・「天皇制」・「島国であるという条件」という要素と並べて（順番は五番目に）「漢字」の利用を取り上げている。

子供のころから漢字まじりのむずかしい文句をはっきりわからないままに復唱したり承認したりする習慣が植えつけられ、むずかしい漢字言葉の標語に対して尊敬と服従の感情がつくられた。日本人は同時代の欧米人にくらべるとめずらしい原始的なおそれの感情を言葉に対しても っている。このことが言葉のお守り的使用法にひとつの基礎を与えた。表意文字を多くふくむ このむずかしい言葉を自分の目的にあわせて自由につかいこなすためには、これまでの国語教育ではたりなかった。[18]

この診断を踏まえて、「お守り言葉」克服のために、「言語習慣」の「形式的改革」として、「漢字制限、かな文字化、ローマ字化をとおして、意味のわかりにくい漢字言葉をすこしずつへらしてゆく方法」が主張され、「たとえば憲法改正に際して、思い切ってこれをローマ字にしてしま」うことすら提起される。現在の感覚でこれを読めば、漢字制限まではわかるとしても（実際に戦前に比べれば大幅に簡素化されただろう）、ローマ字化は明らかに勇み足だろう。

だがこの時点での鶴見の「科学」信仰をあげつらうことにあまり意味はない。むしろ、この漢字有害論から「お守り言葉」の何を最大の弊害と考えていたのかを再確認したい。そもそも「お守り言葉」はなぜ問題なのか。「お守り言葉」は「実証的な考えかたを政治にみちびきいれることのさまたげ」となり[*19]、その結果無謀な戦争にのめり込んでいった。

お守り的につかわれるさまざまな言葉を、人々がただのかざりとして、ただの象徴として、眉につばをつけてあつかうならば、これらの言葉にまどわされてしらずしらずのうちに戦争になめらかにすべりこむことは、もっとむずかしかったであろう。[*20]

同論文の最大の眼目は、「お守り言葉」にまどわされることのない言葉の意味や使い方を広めていくべき、ということだ。そのために、たとえば先の漢字制限のような「形式的改革」のみならず「機能的改革」も合わせる形で、「基礎日本語の確立による国語教育の改革」が提言される。すなわち「人々が毎日つかいなれていて、意味を自分の経験に結びつけることのできるわずかな単語をえらび、これらをつかうことでどんなことをも言いあらわし、どんなむずかしい文章の内容もそれらにおきかえて理解できるような体系をつくること」[*21]。言葉を、生活あるいは実践から切り離さないことで、自分自身のものとし、誤り少なく運用することが、その処方箋の核心として目指されている。

「字引きについて」

この「お守り言葉」予防策の核心部分がよく表されているのが、「言葉のお守り的使用法について」の手前に置かれた「字引きについて」と題された短文だろう。一九六五年の文章だが、二〇年近く前の「言葉のお守り的使用法について」への導入にふさわしいものとしてここに置かれたと思われる。

「字引きについて」で鶴見は、「〈おおやけ〉の字引き」と「〈わたくし〉の字引き」の二種類があるという話から始める。〈おおやけ〉の字引きとは「みんなが言葉をどうつかうかについての道しるべ」、つまり通常の辞書や共通の定義を指す。一方、〈わたくし〉の字引きとは「自分が言葉をどうつかうかについての道しるべ」である[*22]。〈おおやけ〉の字引きは「いくつもの〈わたくし〉の字引きの編みなおしとしてつくられたものだ」と鶴見は述べており、ここでも公式の言葉を日常生活との関連の中で位置づけようとするプラグマティズムの発想に貫かれている。

〈わたくし〉の字引きを意識することは、言葉と日常生活とのつながりを取り戻し、自分なりに整理・納得した上で使う、ということを意味する。たとえばそれは「自分で言葉を定義してつかう習慣」の有無と関連している。

定義の術にたけた人は、日本の学者のあいだにもきわめてすくない。特に社会学・人文科学・哲学などにおいては、定義は外国の学者のすることときめておいて、話を進めている場合が多い。これは、へたをすると定義を流行にゆだねるということになりかねない。その時その時の、主流になっている思想用語をつねにうけいれて、それを、みずからそのつど定義してつかうということをせずに、そのままつかう。これでは、言葉は〈あいことば〉になってしまう。おなじ時刻に、おなじ気分で生きている者同志には通じるような気がするが、時が移り、場面がかわれば、まえの話はあとの者につたわらなくなる。*23

自ら定義することが苦手な学者の対極としてイメージされているのが、アメリカの収容所時代に知り合った「斎藤アラスカ久三郎」という人物のエピソードだ。アラスカ久三郎は小学校卒で、英語も「あまりよくできはしなかった」。しかし「言葉を確実につかって議論をした」。

ある人について、

「××さんはじつにインターナショナルな人だ」

と、アラスカ久三郎が言った。するとだれか、日本の大学を出てアメリカに来ている会社員のひとりが、

「インターナショナルってどういうこと？　斎藤さん」

と、ややからかいぎみできいた。

「胸はばの広い人っていうことだな。世界のことをゆっくり見わたして考えられる人のことだ」と、おくせずにアラスカ久三郎は答えた。そういう対話のひとこまを、わたしはいまもはっきりとおぼえている。インターナショナル＝胸はばのひろい人、か。言葉というものは、どういうふうにも定義できるものだな。アラスカ久三郎はこの言葉をわかってつかっている。彼がこの言葉にたくした意味は、その場所にいただれにもよく理解された。わたしは、定義の術の名人にあったような気がした。[*24]

「インターナショナル」を「胸はばのひろい人」とする定義は、〈おおやけ〉の字引きには決して出てこないだろう。しかし、この文脈においては、適切な説明であるという以上の説得力を持つ。鶴見は優れた〈わたくし〉の字引きに感嘆している。

先述の「お守り言葉」は、「定義」を欠いた、権力の上下を前提とした「あいことば」ではあろう。そうした言葉に騙されたり、流されたりしないように、〈わたくし〉の字引きを常日頃から増強しておく必要がある。この処方箋の方向は、鶴見の（同書刊行までの）戦後二〇年間で一貫したものであったことがわかる。

3 集団の組み方

「サークルと学問」

「かるたの話」や「字引きについて」では、「日本の学者」対「民衆の知恵」という対比が描かれた。これは、「思想の科学」研究会が大学の外で民間の学問を目指したことと重なり、鶴見俊輔らしい対比と言える。しかし現実には、鶴見自身大学教員として二〇年間近く過ごしていて、『日常的思想の可能性』を出した六〇年代も同志社大学教授として仕事をしていた。「思想の科学」も、大学に所属する「知識人」と絶縁していたわけでは全くない。だからこの対比も、所属先の問題ではなく、学問の「組織のされ方」の問題として考えるべきだろう。

そうした前提を確認しつつII部に足を踏み入れると、その冒頭に置かれた「サークルと学問」の論文がまさに「日本の学者」対「民衆の知恵」の対比を深めることをテーマとしている。

同論文は、「日本の学問には三つの学風がある」と述べ、「あてはめ学風」・「つぎはぎ学風」・「つつみこみ学風」と名づける。典型例として、「あてはめ学風」は大学アカデミズム、「つぎはぎ学風」は総合雑誌に見られるジャーナリズム、「つつみこみ学風」は「サークルイズム」（当時の「サークル運動」における団体）という三つのイズムを挙げる。[*25]

まず「あてはめ学風」についてはこう述べる。

これは西欧の学問で人間一般・社会一般についての包括的な体系をつくったものの大枠をかりてきて、その大枠の中の中わく、小わくを、日本人の手でうめていくという方法である。大枠は、西欧の学者がつくり、中わくと中わくの中の小わくは助教授、助手、学生などにうめてゆかせるという手順をとると、明治以来の固い大学制度とぴったり合う思索の方法になる。[*26]

「サークルと学問」は一九六三年の文章だが、欧米で流行った「理論」が日本に輸入され、それを駆使して「最新」の診断をくだすのは、今も見られる光景だろう。つまり「あてはめ学風」とは、先の「字引きについて」の用語でいえば、「おおやけの字引き」のみをありがたがろうとする態度だ。

もちろん、鶴見は「おおやけの字引き」を全否定したわけではなく、「あてはめ学風」についても「学習の機関としての大学に第一の学風〔あてはめ学風〕がのこることは健全」だと（この時点では）考えている。ただ、言葉や認識が「上」から与えられ、細部は「あてはめ」で片づけられるとすれば、日常経験と「理論」との隙間は必然的に多く残らざるを得ない。そうした社会では、言葉は十分な「実質」を持つことができず（つまり「わたくしの字引き」は豊かにならず）、「お守り言葉」が跋扈する余地を広大に残してしまう。したがって、それを防ごうとするならば、私たちの日常経験から発する言葉や認識が十分に組み込まれるような学問を構想する必要があろう。そこで「あてはめ学風」の弊害を「おしとどめる力」となるような学風として述べられるのが、第二・第三の学風だ。

第二の「つぎはぎ学風」は、第一のものと第三のものの中間的な位置を占めている。「あてはめ学風」と比べて、「大わく」を「西欧の学問」から借りてくるのは同じだが、その内側は「なるべく日本の中にあるわくを変形させてうめてゆこうとする」。そのことによって、日本独自の概念とされるものも「あらためて定義することで、日本に特殊な現象を指し示す場合よりもひろい応用範囲をもつ普遍用語となる」。*[27]

「あてはめ学風」に対してより根源的に逆向きの関係にあるのは、第三の「つつみこみ学風」だ。「日本人の現在もっている関心をひろげてそれによってできるだけ多くのことがらをつつみこんでしまう学風」だという。*[28] このたとえはわかりにくいが、念頭に置かれているのは民衆の「サークル」である。身近で具体的な問題意識から次々に関心が広がり展開していく様子が紹介される。「あてはめ学風」に比べると、生活に発するボトムアップの「学問」ということになろう。

ここ［「つつみこみ学風」］では、どれだけ多くのことがらが、特定の関心のフロシキのなかにくるみこめるのかが、あらかじめ予測できないが、状況の発展に応じて、より多くくるむことができると、わかってくる。こうした形のさだまらぬことは、第一・第二の学風にくらべて欠点だ。*[29]

鶴見はこの三つのどれか一つが正解だと言いたいわけではない。適切な並存・協力関係が望ましいと考えている。先に触れたとおり、特に大学の学問において、「あてはめ学風」自体が有害だという主張ではない。しかし問題は、同論文執筆時点で、戦後初期に起こった第二・第三の学風のアカデミズムへの浸透が次第に減少し、「学問」が再び「あてはめ学風」のみに回帰する危険性が高まっていたことにある。そこで、同論文において鶴見は「つつみこみ学風」に最も肩入れし、その意義を後半の議論で展開していく。

「サークル」の意義

「つつみこみ学風」を体現するのは日本のサークル運動だと鶴見は考える。その実例としてサークル誌『山脈《やまなみ》』に集った「山脈の会」を取り上げている。

ここでその詳細な活動内容紹介までは踏み込まないが、鶴見がこの事例から何を汲み取ろうとしているか、その問題意識に着眼したい。端的に言うならば、集団が発展しながら持続することへの関心である。

「サークルの学風」への問題意識のあり方は、学問の「成果」として何らかの理論を期待することとは別次元にある。むしろ有益な学問をつくり出すのにどのような人々の結びつきが重要なのかという「集団論」の性格を持つ。日常生活に根ざしながら、変化と持続を両立させつつ探究を続けられるのはなぜか、そのヒントがサークル運動にあると考えている。

サークルのあり方は「あてはめ学風」とまるで正反対だ。

［サークルの］主題はサークルメンバーの日常生活の外側から課せられると、どうも具合がわるい。サークルのメンバーの日常生活そのものの中にすでに久しくあるものでないといけない。何をきっかけとしてはなしがはじまったとしても、たくまずにしぜんにみんなのはなしがその

方向にむくというようなものが主題なのだ。これに反して、きっかけのほうは、あらかじめ設計されたはなしのすじからはなれてぽかっと雑談の中にうかびあがってくるもので、それをとらえて主題とむすびつけて主題についての集団的思考をすすめるのが、サークルの論理である。[*30]

「あてはめ学風」であれば、主題は「西欧の学問」によって（つまり外側から）設定され、それに沿って順当に展開していく。だが「つつみこみ学風」では、主題は日常生活（内側）から発見され、偶然のきっかけで思いもかけない発展をしていく。

ここで重要なのは、サークルがそうした両立をなしとげるための前提条件だ。そもそもこうしたプロセスを生じさせるためには、大学のような制度的なつながりではなく、人々がゆるやかだが自発的に集っていなければならない。なぜなら主題を内側から発見することも、偶然のきっかけを発展させることも、持続的な時間の中でようやく形になるものだからだ。

『山脈』にはプログラムらしいものが、はじめからとぼしい」と鶴見は述べる。「日本の底辺の生活を思想を掘りおこして、それを記録します」と一応決められたが、中心概念たるべき「底辺とは何か」について定義されることはなかった。[*31]だからそれぞれが自分なりに解釈した「底辺」にこだわり記録するという問題意識によって、つながり続けた。

もちろん目的を曖昧にすれば集団が持続できるというわけではない。一方で、「山脈の会」は「三回方式」というのをつくり出し、「この雑誌を一度買ったら、おもしろくないと思ってもとにかく三回はかってよんでくださいとたのむことになっている[*32]」のだという。

「私も人にすすめる時、仕方ないので、ただ、読んでください。これを三年間くりかえしてきたんです。でも、けっこう、会員になってくれる人がおりましたけど。」（明石和子）
目的意識を明白に規定するあらゆる既成の組織論にたいする不信の表明が、ここでは生かされて来た。*33
鶴見にとっての集団論は、「学風」（すなわち理論や認識）の前提条件をつくり出す重要な論点として受け取られていることがわかる。

「分裂の季節」

明白な目的意識によって集まり能率的に取り組もうという集団論（「あてはめ学風」）に対して、目的意識には大きな余白を残しつつ、しかし人間関係を保ちながら、持続的・内発的に取り組むサークルのあり方を、オルタナティブとして提示する。この提起をさらに明確に示したのが、ヤマギシ会（本文中で「山岸会」「ヤマギシカイ」とも表記されている）の「研鑽会」の経験から論じた「分裂の季節」という短文だ。その経験の内実は、冒頭で次のように端的に紹介されている。

一昨年（一九六三年）の夏、三重県春日山にいって、山岸会の研鑽にくわわった。／まる一週間おなじ一つのひろまに数十人が一緒にくらし、あたえられた主題について議論しては眠り、議論しては眠りする。まる一週間、外に出ないという約束だけを前もってしておき、その他に約束はない。暴力とか、その他の種類の強制力もふるわれることがない。しかし、まる七日間一緒の部屋にいやおうなしにいる他ないという運命を一度うけいれてしまうと、何の強制力もなしに、人々の意見はわりあいにたやすく一致してしまうものだ。[*34]

ここで鶴見はヤマギシ会自体を賞賛しようとしているわけではない。この文章の後半では、こうして発生する同調圧力に対して、「全体の利益に反する決議を全員がしそうだと誰かが判断したならば、その人はただ一人になっても無限に反対を続けることにしようという、孤立した個人へのはげましの原則」が必要だと、研鑽会に対して「もっと深く民主主義の伝統から知恵をくみとる」ための指摘を加えている。[*35] これは、『思想の科学』の編集における「提案権」、つまり多元主義の擁護と重なる。鶴見らしい批判と言える。

とはいえこの研鑽会は鶴見にとって興味深い発見をもたらした。一つは、「西欧の哲学用語をかりなくとも」人々の日常の経験と言葉で「真理、善悪の規準、理想社会などの重要な哲学上の問題について明快に語りあうことができる」という発見があった。[*36] ここには、「お守り言葉」を防ぐために「ローマ字化」を進言するような戦後初期の鶴見のスタンスからの最終的な離脱が見て取れる。

もう一つの発見は、「まる一週間おなじ部屋で外にも出ずに一緒に考えると、意見の一致をみやすいものだ」という点だ。[*37]「会うといっても一年数回、それも一時間か二時間一緒にすわってよそゆきの言葉で二度―三度意見をかわして、反対だとか言ってわかれるような状態」から多くの対立が発生している（当時の）現状を克服するヒントとして、研鑽会の経験は解釈される。

いくつかの日常的な行動の型につめた場合に、そうかぎりないほどの数の型の対立があるとは思えない。戦争中わたしは、人間が人間を殺すことはよくないと考え、自分は人を殺す前に死にたいと思った。いまも究極のところでは、それだけの智恵しかない。そこから眺めると、戦争に反対しようと思う人は、ちがう思想の脈絡にあるとしても、同じ側にたっているので、もっと共同の行動をしてもよさそうに思えるのだが、どうして、歴史観の系譜、認識論の系譜、政党支持の系譜から入って、こまかくこまかく共同行動の流派をくぎらなくてはならないのか。

今は分裂の季節だ。分裂する方向にむかうことが、思想のスタイルになっているが、私には納得できない。ヤマギシカイの研鑽方式は、今の学生運動にとっても、原爆反対運動にとっても、「思想」などのような学術用語を用いた論争にとっても、参考になると思う。*38

これがこの文章の末尾だ。最後に触れているように、この鶴見の主張は、六〇年代に広がった社会運動潮流の「分裂」に向けて書かれている。六〇年安保闘争の前後で日本共産党から分かれる（追い出される）人たちが出て、そうした一つだった反日共系の前衛党派・学生運動も諸派に分かれていき、原水禁運動など大衆運動も分裂を余儀なくされていった六〇年代前半期。これを「分裂の季節」と呼び、それへの異議を申し立てている。

単に「分裂」がもたらす弊害を述べるのではなく、「やり方」の代替案を提示しようとするところに、鶴見の集団論の意義がある。これは既に社会運動論へと足を踏み入れているとも言える。

4 社会運動のための知恵

「合成と成長」

Ⅲ部に入ろう。まず取り上げるのは「合成と成長」という文章だ。これは一九五九年に発表されているが、内容的にはⅡ部の「サークルと学問」を引き継いでいると私は考える。しかし「サークルと学問」は一九六三年に書かれており、後に置かれた「合成と成長」のほうが早い。ここにも同書の文章配置の妙が観察できよう。

「合成と成長」は、吉野源三郎著『エイブ・リンカーン』の書評として書かれた。*39「エイブ・リンカーン」とは、もちろん第一六代米大統領のエイブラハム（またはアブラハム）・リンカーンのことで、その評伝である。ここで鶴見は、吉野が描くリンカーンの姿を紹介しながら、「合成」と対比させて「成長」について論ずる。

黒人奴隷の競売風景を見て心を痛めたリンカーンの青年期の記憶が、その後も「心の底にやきつけられたコテのアト」になっていて、「ドレイ解放の運動から無縁な道をただぽくぽくあるいていたころのリンカーンをどれほど悩ましていたか」というエピソードを鶴見は書きうつす。それを受けてこう書く。

こうした仕方で、人が育ち、人をとおして思想が育ってゆく。この成長として理解された思想を、われわれは忘れやすい。戦後の進歩思想は、思想について、成長的な見方よりも、むしろ合成的な見方をとってきたのではないか。その合成的な方法の一つの拠点として『世界』（吉野氏の編集してきた雑誌）を見るとして、この方法の有効性を私は信じているけれども、思想を成長として見る精神につらぬかれた同じ人の著書『君たちはどう生きるか』および『リンカーン伝』は、合成の方法によっては達することのできない思想の高さを示していると思う。[*40]

ここで言う「合成」の方法は、先の用語で言えば「あてはめ学風」のやり方であり、当時の具体的な社会運動に即せば典型的には党派的なマルクス主義のことを意味するだろう。岩波書店の雑誌『世界』は、近代主義者も含め、そうした「進歩派」の拠点だった。最先端とされる欧米の思想を輸入し、それを日本の現実に直接あてはめる、あるいはその思想を無批判に前提としたそれらの組み合わせによってより良い「理論」を提示しようとする。

こうした「合成」＝「あてはめ学風」のやり方が、「お守り言葉」の跋扈を許すような脆弱な社会を作るであろうことは既に確認した。それだけでなく、この速成の方法は、時間的に随分後にならないと明らかにならない結果や、一見しては有益には見えない要素を、バッサリ切り捨てることになるだろう。

たとえば、「ドレイ解放の運動から無縁な道をただぽくぽくあるいていたころのリンカーン」が実は密かに抱いていた「心の底にやきつけられたコテのアト」は、その時点では思想未満のものとみなされ、その可能性は一切考慮されない。「成長」を見ない発想は、リンカーンの前半生を無意味なものとしかねない。

逆に、「成長」とは、時間のかかるもの、可能性を孕むものを、できるだけ掬い上げようとする姿勢を意味する。なぜ待つことが重要なのかと言えば、下から自生的に育つものは上から与えられただけのものと比べて、風雪に耐える力強さを持つと考えられるからだ。

明治の末から大正・昭和にかけての日本の行きづまりは、あるていどは思想の合成主義を高く評価しすぎることからきているように思われる。だが合成は、早くつくること、たくさんつくることには役にたっても、すくなくとも思想に関しては、ながもちしないし、変革期における最初の起動力となることができない。われわれは、成長的な考え方に新しくかえってゆく必要がある。[*41]

「変革期」というのはこの引用部の直前に「幕末期の再評価」とあるのに関わるが、別に時代限定的な評価ではない。なぜ「合成」が「変革期における最初の起動力となることができない」かといえば、既存の思想をいち早く取り込み「あてはめ」る能力なので、前提条件が大きく変わろうとする状況では原理的に役に立たないのだ。「成長」は自前で問題発見しその解決方法を育てていく思想であるから、新たな問題を萌芽の段階で捉えていることもあるし、柔軟に現実に向き合って対処できる可能性を多く持っている。

「一番病」批判

「変革期における最初の起動力となることができない」という「合成」批判＝「成長」評価は、後の鶴見が多用する「一番病」批判と重なっている。

鶴見が「一番病」の語をいつから用いるようになったかは調べきれていないが、典型的には以下のような形で晩年よく言及していた。

そもそも親父は、勉強だけでのし上がってきた人だったんだ。貧しい生まれで、一生懸命に勉強して、一高で一番になるところまではきた。それで後藤新平の娘と結婚したんだ。そうやって勉強で一番になってきた人だから、一番になる以外の価値観をもっていない。そういう一番病の知識人が、政治家や官僚になって、日本を動かしてきたんだ。……小学校一年生より二年生がよくできて、二年生より三年生ができて、正しい答えは頂点である先生が知っているという制度です。……そういう制度のなかで百点をとるのは、先生が思っているとおりの答えをうまく察して、「はいはいっ」て手を挙げて答えた奴だ。そういう優等生は、中学生になっても、高校生になっても、大学生になっても、常に違う先生に対して手を挙げる。自由主義の先生にも、軍国主義の先生にもね。そういう肉体の習慣が、学校のなかでできちゃっているんだよ。……学者だって同じだよ。ヨーロッパやアメリカにモデルがあって、右顧左眄しながら、その学習をいちはやくこなす。そういう肉体の習慣を持っている人が、一番病なんです。一番であっても一番病でないという人間が、わずかにいるという例外は認めますけど、そんなにたくさんいるわけない。だから学界でも論壇でも、そのときの動向で一番をとれるような、細かい仕事しか出てこない。……つくられた人［一番病］たちは、自分で考える力はないんだけど、学習がうまいんだよ。近代化するには、こういう人間を養成することが必要だったんだ。だけど学習がうまいと、脇が甘くなっちゃうんだ。教わっていないこととか、試験に出ない範囲のことが出てきたら、そのまま溺れちゃうのね。[*42]

引用の冒頭にあるとおり、「一番病」の典型は鶴見の「親父」（鶴見祐輔）であり、したがって一高－東大－官僚という近代日本のエリートコース自体、あるいはそれに憧れて「ガリ勉」することが批判の対象と理解されがちだ。それは間違いではないが、「合成と成長」など本書の議論を踏まえれば、「一番病」批判の射程はもっと広い。

「ヨーロッパやアメリカにモデルがあって」云々というところから、これが「合成」＝「あてはめ学風」批判であることは明らかだろう。そしてなぜこの方法がダメなのかもここで明確に表現されている。そうした方法では「教わっていないこととか、試験に出ない範囲のことが出てきたら」対応できないのだ。自分で問題を発見して自力でそれを解くことができないのが「一番病」である。東大批判・「ガリ勉」批判に短絡されがちかもしれないが、学歴エリートであろうがなかろうが、競争の土台自体を疑うことなく「最先端」を追いかけるような振る舞いは、鶴見からすれば立派な「一番病」

だろう。

そう考えると、現代の日本社会も全体の傾向として「一番病」から脱せているようには思われない。「成長」を評価する発想は、今にも続く「一番病」克服の有力な道の一つということになるだろう。

「根もとからの民主主義」

では、この「成長」の考えを社会運動に適用するとどう具体化できるだろうか。それを論じたのが「根もとからの民主主義」だ。この論文は「合成と成長」の次に置かれており、これも鶴見が意識して並べたように思われる。

「根もとからの民主主義」は、六〇年安保闘争の最中に書かれた。前章で触れた六〇年安保闘争における「市民」の誕生を知らしめた『思想の科学』一九六〇年七月号に掲載された一文である。鶴見にとってこの安保闘争がどのような位置を占めるのかが論じられている。自発性のないまま占領民主主義を受け入れたこととの問題から説かれる同文章は、したがって戦後論など様々な観点から読むことができる。しかしここでは、六〇年安保闘争自体の評価としてではなく、「合成と成長」と接続する運動論として読解したい。

科学的な認識をつみかさね、くみあわせて社会改造の展望をつくる方法は、思想の化学的合成の方法と言える。この方法も、実りがあるとは思うが、戦前・戦後の進歩派はこの方法に期待をかけすぎることで、かえって平衡を失しているように思う。もっと別に私そのものからむかう道、私の複合をとおして社会改造の展望をつくる方法があり、これは思想を成長としてつかむ方法、思想の生態的把握の方法であろう。このあとのものに重点をかけることをとおして、何らかの事業を支えるに足る思想、何らかの仕方で生きられる思想への道をきりひらくことができる。[*43]

「合成と成長」は「根もとからの民主主義」の約一年半前の発表であり、近い時期の論考ではある。そうであれ、「合成よりも成長を」という鶴見の自前の方法論が安保闘争の興奮の中でも力強く貫徹していることには、改めて驚かされる。

ところで、「私そのものからむかう道、私の複合をとおして社会改造の展望をつくる方法」とは何を意味するのか。

この引用の前の部分で、「私にたいする信頼」を議論している。「私の中には、目の前に実現された社会制度よりも、より高い社会像と、より低い社会像とが、つまっている」と鶴見は述べる。「より高い社会像」が「革命」家が求めるような理想社会像であり、そうした目標の存在自体は鶴見も否定しない。しかしそれは「より低い社会像」によって支えられる必要があると鶴見は考えている。「より低い社会像」は「私」の「底」にひそんでいる。

この私の中の小さな私のさらに底にひそんでいる小さなものの中に、未来の社会のイメージがある。私が全体としてひずみをもっているとしても、分解してゆけば、ゆきつくはてに、みんなに通用する普遍的な価値がある。このような信頼が、私を、既成の社会、既成の歴史にたちむかわせる。国家にたいして頭をさげないということは、私が、国家以上に大きな国家連合とか、国際社会の権力をうしろにせおっているからでなく、私の中にたくみに底までくだってゆけば国家をも、世界国家をも批判しうる原理があるということへの信頼によっている。*44

ここにプラグマティズムの思想が明確に表れている。「私」の中に既に普遍的な価値が埋め込まれている。日常生活という根とのつながりを自覚したまま、それを「原理」として育てていくことが重要なのだ。もとより、「私」には固有の偏見や特殊性があり、鶴見はそれを「ひずみ」と呼ぶ。誰もが自分の「ひずみ」を無化することはできない。だから一足飛びに自分の感覚を「普遍的な価値」とするわけにもいかない。しかし、そうした「ひずみ」をたえず割り引きながらも、「私」から「みんなに通用する普遍的な価値」を目指す他はない。それが「思想の私的な根」として国家批判の拠点となる。「根もとからの民主主義」の「根もと」はこのことを指す。ここでも、「原理」を輸入品として「合成」するのではなく、「私的な根」からの「成長」に賭けられている。

アナキズム

もう一つ、先の引用は鶴見のプラグマティズムとアナキズムのつながりもはっきり示している。鶴見にとってアナキズムは、「根もとからの民主主義」における用語で言えば、「より高い社会像」としてではなく「より低い社会像」の方に位置づけられる思想として評価される。

鶴見は一九七〇年に書かれた「方法としてのアナキズム」において、アナキズムを「権力による強制なしに人間がたがいに助けあって生きてゆくことを理想とする思想」と定義した上で、次のように述べている。

権力による強制のない相互扶助の社会をつくろうという理論による運動は、多くはみじかい期間にくずれてしまった。……………

個人あるいは数人の思いつきによる相互扶助社会の建設がどんなにむずかしいかは、これらの例から見てもわかる。

反対に、われわれがすでにもっている社会習慣の中にあるさまざまな力を新しくくみあわせて、相互扶助の習慣をつよめてゆくことには、もっと持久力のある実例がうまれている。……このような必要がない時には、決意によってそういう相互扶助の社会をつくることはむずかしい。しかし、人間にとってそのような相互扶助は前にあったし、これからもあり得ると考えることは、助けになる。*45

アナキズム論においても「合成ではなく成長を」という観点が貫かれている。そしてその「成長」の芽は、「われわれが既にもっている社会習慣の中」に見出される。理想社会の目標としてアナキズムを捉えるのではなく、ますます統制力を強める現代国家への「抵抗」の手段としてアナキズムを位置づけること。これが鶴見の考える「方法としてのアナキズム」だ。

論文「根もとからの民主主義」に話を戻すと、（後に）「方法」として捉えられるアナキズムの立場が、以下のような「護憲」論へとつながっている。

この憲法にあるような国家をひとまず実現するため努力することをとおして、われわれは日本国憲法によって保証された、国民的規模における国家批判の運動にのりだすことができる。……戦争を禁じ、各市民に自由な私生活を保証する憲法であるとしても、この憲法を守ろうという運動方法によってはこの憲法を守ることはできない。この憲法をつくった精神にかえってでなければできない。ところがこの憲法は、自力でつくったのでないとすればどうなるか。ここで問題はふたたび、はじめのふたしかな地盤の上になげかえされる。実質的には、われわれにはいまから、この憲法をつくることしかない。現在の運動［六〇年安保闘争］が一つの革命としての性格をもっているのは、それが実際には、この憲法をつくる運動だからだ。……この運動を支える思想は、国家によって保証された私生活の享受に没頭するという考え方ではなく、国家をも見返す私というとらえ方にある。*46

六〇年安保闘争が「日本国憲法を改めてつくる運動」としての自覚を持っていたかどうかに疑問は残るが、少なくとも鶴見は「国家をも見返す私」の立場から起こった運動としてこれを意義づけた。憲法があるから国家を批判できるのではなく、各自の底にある根拠から国家を批判し、それを日本国憲法の支えとすべしという発想である。

同文章が書かれたのは今から六〇年前のことになるが、日本国憲法をめぐっては近年改めて政治の争点にされている。「この憲法を守ろうという運動方法によってはこの憲法を守ることはできない」という言葉は、今なお当てはまることなのではないだろうか。

「すわりこみまで」

「根もとからの民主主義」の先ほどの引用の中に、「成長」の方法は「何らかの事業を支えるに足る思想、何らかの仕方で生きられる思想」への道を切り開く、という表現があった。これは、運動を持続させることの意義を重視しているということだ。

社会運動が持続するためには、Ⅱ部で見たように「集団論」が重要となる。だがそれだけでは不十分だ。日常的活動を社会運動へと変換する装置が必要だ。そうした装置の一つとして鶴見は「反射」を強調する。

「すわりこみまで――反戦の非暴力直接行動」は、一九六六年に書かれたもので、副題にあるとおり「反戦の非暴力直接行動」がテーマだ。本書の関心からすると、真正面からの運動論と言えよう。

同論文は、「太平洋戦争」の開戦当日に、開戦すべきでなかったと述べた鶴見に反発した外務官僚の「じゃあ、どうすれば、よかったんだ」という言葉から議論を始める（ちなみに当時鶴見はアメリカ留学中で、鶴見の開戦批判に反発したのは同じく留学していた東郷文彦である）。ただし主題はアジア・太平洋戦争ではなく、論文発表時に眼前の戦争だったベトナム戦争についてだ。

「じゃあ、どうすれば」に対して、戦争の問題点を認識すること以上に、それを行動と結びつけることの意義を鶴見は強調する。かつての戦争に対して、既に見たように鶴見自身は当時から反対だった。しかし何もできなかった。

反対の意志を日記に書きつける。信用できると思う人にしゃべる。それ以上のことは何もできなかった。しようと思うのだが、指一本あがらなかった。その時の奇妙な感じは、いまもあざやかにおぼえている。戦争にたいする絶望感よりも、自分にたいする絶望感のほうが深かった。[*47]

「指一本あがらなかった」という状態は、戦後いったん薄れた。だが、これからの時代はわからない。果たして「何もできなかった」という状況に陥ることを克服することはできるのだろうか。そこで重要となるのは、戦争反対の認識自体ではない。それを行動へと結びつける方法だと鶴見は考える。

知識をもち、状況についての見通しをもつ人が、かならずしも状況打開のための行動をおこすものでないことを、まず確認したい。……私は第二次世界大戦での日本の立場が正しいと思ったことはなく、日本が負ける以外の終末を考えることはできなかったが、同時に、戦争反対のための何らの行動もおこすことはしなかった。

それは、怠けぐせとか、物理的勇気の欠如というのとも少しちがう。というのは、物理的な苦痛としてかなり痛い目にあって、ともかくも耐えたし、軍からあたえられた雑用を必要以上に勤勉にやったからだ。自分の信じていない戦争目的のために、その仕事が直接に殺人に関係しないとはいえ、勤勉にはたらく自分がバカらしくて仕方がなかった。その勤勉なはたらきが、政府の命令にそむく行動の方向には、むかないのだった。そういう行動の起動力となる精神のバネが欠けていた。それは、知識の構造に欠けたところがあるのではなく、肉体の反射の問題だ。「思想」という言葉を、知識だけでなく、感覚と行動とをもつつむ大きな区画としてとらえるならば、それは思想の問題だ。知識としてはひろくこまかく正しくて、思想としてはもろい存在というものがある。[*48]

この引用が置かれた節は「『思想』回復をめざして」と題されている。「知識だけでなく、感覚と行動とをもつつむ大きな区画」として「思想」を捉える、これは「思想」を信念と態度の複合として捉えるプラグマティズムの発想だ。「知識と感覚と行動とをつなぐ回路をどのようにして自分の中に設計できるか、そういう回路の見とり図をかくことだけでなく、実行の方向にふみだすことが大切だ」、つまりプラグマティズム的に有効な「反対」とはどうすれば実現するのかと鶴見は問題を提起する。そのとき鍵となるのが「行動の起動力となる精神のバネ」すなわち「反射」だ。

「反射」の訓練

「反射」こそ、自由が奪われつつある社会の中でも「体がすくんでしまう」ことを跳ね返しながら、知識を行動につなぐことを可能にする。行動なしには、戦争を止める具体的な力にはならず、言葉は言葉だけで終わって「お守り言葉」が跋扈する時代を導くことになろう。

知識と感覚・行動が絶縁している場合、人は、大局的に見て権力者のいうなりにあやつられる。権力者が法律の細目をつくり、その解釈をも自分たちの政策にあわせるようにしてゆく時、細目まで法律を守るという姿勢は、きわめてゆるやかにわれわれの国家批判をより消極的なものにかえてゆく。権力者が法律を守るだろうと、われわれが安心して期待できる時には、われわれが法律をこえてまで何かの意思表示をすることは、ただ心の中で万一の時にそなえて練習していればよいことだ。／だが、いまの日本のように権力をもっている人びとが、平和憲法を守ることにあまり期待がもてない時には、法律の細目にふれる行動を通してでも、法を守ってくれとはっきり要求することが必要になる。そのための実地の練習をすることに意味がある。*49

「あてはめ学風」のように「私的な根」に基づかない場合、流行に流されやすいことも含め往々にして「権力者のいうなりにあやつられる」。それを食い止めるために、知識と感覚・行動をつなぐ「練習」が必要となる。特に既に権力が信用ならない場合、「実地の練習」、すなわち社会運動（ここでは直接行動）が意味を持つ。

鶴見がこの時代の判断として「法律の細目にふれる行動を通してでも」とまで書いていることにも注目したい。直接行動の歴史からすれば当然のことだが、結果的に法を踏み越えることも想定内であり、合法性は必須の前提ではない。国自体が誤ることを考えれば、合法性が自己目的化するようでは、誤った政策に流されて終わる。

いずれにせよ、この「実地の練習」で「反射」を鍛える方法の一つが、非暴力(直接)行動だと鶴見は考える。

非暴力直接行動とは典型的にはデモや座り込みなどを指す。与党を選挙で負かすとか宣伝で世論を動かすなどの「間接」的方法に対して、政策を変える、戦車を止めるなどの目的を「直接」的に(すなわち「体をはって」)実現しようとするのを「直接行動」と呼ぶ。とはいえこの直接/間接の境界線は絶対的なものではなく、後の章で論じるように直接行動も世論喚起などの間接的効果を生む。

この直接行動には物理的な破壊や対人的暴力、究極的にはテロリズムも含まれる。従って、このうち暴力的手段を採らない直接行動を、非暴力直接行動と呼ぶ。ただし、ここでも暴力/非暴力の区別には曖昧さが残る。要人を誘拐して殺害するのは明確に暴力だろうが、人は傷つけないが兵器工場を破壊して機能を止めるのは非暴力直接行動とみなしうる。デモの最中に機動隊に暴力を振るわれ反撃に殴りかかるのは、見方次第で非暴力直接行動の範囲内だったり、逸脱だったりする。暴力/非暴力の境界線を論じることはここでの課題ではない。ともかく社会運動の文脈で鶴見は非暴力の立場に立っていることを確認しておきたい。

「なぜ非暴力の形をとるのか」と鶴見は問う。いくつかの考えがあろう。たとえばガンディーは、「真理把持(サチアグラハ)」の思想に基づき、「相手の人間性をよびさます方法」として非暴力を選んだ。だが鶴見は「懐疑主義」の立場から、これを「共通の人間性と不動の真理」として非暴力の根拠とすることはしない。そもそも、何かの「主義」を丸ごと受け入れてもらうのではなく、「これが真理だと他の人々にすすめる確信を持たないままに、自分の根拠を人に明らかにすること」のみを行うのだと言う。[*50] その上で、非暴力直接行動の選択について次のように述べる。

非暴力直接行動をとる場合、その効果の考慮は二番目のことだ。第一のことは、この行為が自分の反射を新しくするだろうという期待だ。政治的効果については、確信はもてない。……非暴力直接行動が、日本の政府にたいして、またアメリカの政府にたいして、適合した方法だという保証はない。[*51]

鶴見は、ナチス・ドイツの場合にはガンディーの非暴力運動も大きな政治的効果をあげなかったに違いないと考えている。「今すぐユダヤ人虐殺を止める」といった即効性が求められる目的では（そのことに限定すれば）、暴力の方が「政治的成果」をあげることは確かにありうる。また非暴力の行動も様々な広がりを持つので、非暴力直接行動だけが必ず最適とはもちろん言えない。だから「効果の考慮は二番目のこと」でしかない。鶴見にとって最も重要なのは「反射」を訓練することにある。

非暴力直接行動というプラグマティズム

先の引用で見たように、「反射」とは「行動の起動力となる精神のバネ」だ。知識を行動へとつなぐ位置に置かれる。本章の頭で、「限界芸術」について触れた。「限界芸術」とは、「芸術」という高尚なものと日常生活との境界上で見出される営みである。「限界芸術」にこだわることで、「芸術」の中に根付く原点としての日常生活を確認できるとともに、新たな「芸術」の萌芽を発見することもできるだろうし、人々が日常の中で「芸術」を生きるためにはどうすれば良いかのヒントを得ることもできよう。その結節点を指し示す概念であった。

同様に、「反射」は「戦争反対」というような高尚な理念を日常生活の中に埋め込む装置として見ることができる。どうすれば日常において「戦争反対」を生きることができるか。もちろん社会運動は非日常的な行為であり、それ自体は日常生活ではない。だからこそ、「いざ」というときにそれを起動させるには、日頃の意識的な「練習」が必要となる。

後の章でも議論するように、「デモは無駄だ」という意見は多い。しかし、そう指摘する人が、他の「有効」な方法を積極的に開拓し試行しているという例はあまりないように思われる。要するにかれらは、「社会運動を行っても仕方ない」と言いたいのだと私には感じられる。この意見には、運動の必要性（変えなければならないほどの弊害）を感じないという要素の他に、時間と労力をかけるほどのメリットがないという意識もあろう。世界中で繰り広げられるデモなどの街頭行動をニュースで目にしながら、自分の社会にそのリアリティを投影しない人は、こうした論理を採用しているのではなかろうか。

だが、日頃の練習なしに、いきなり本番をこなすことはできない。社会が危機的な状況では、国家権力の抑圧といい、運動主体の条件といい、何かを行う余地は厳しくなってしまうのが普通だろう。だからむしろ、その必要性が薄いときから、「実地の練習」はしておくべきだ。鶴見にとって「反射」は、プラグマティズムの発想に発した、考えと行為をつなぐ重要な概念なのである。

以上、本章で多くの引用をしながら見てきたように、『日常的思想の可能性』は、なぜどのような方向にどうやって日本社会を変えるのか、という問題意識に貫かれて構成された書物として読むことができる。そしてその（一つの）重要な実践として、最後のⅢ部に社会運動が置かれ、そこに集約される議論として同書を読解することは可能であり、それが今こそ有益だと私は考えている。

＊1 鶴見俊輔、『限界芸術論』、六―七ページ
＊2 『限界芸術論』、八ページ
＊3 鶴見俊輔、『日常的思想の可能性』、五―六ページ
＊4 たとえば、黒川創・南伸坊、「思想家として、編集者として」。
＊5 鶴見俊輔、『誤解する権利』、二四〇ページ
＊6 しかし、こうした「批判に応えない」という鶴見の態度は、対話のきっかけとなりうるコミュニケーションを封じる点で傲慢だし、後述の「言葉におけるプラグマティズムの実践」という点からしても望ましくないと私は考える。
＊7 『日常的思想の可能性』、五八ページ
＊8 『日常的思想の可能性』、六五ページ
＊9 『日常的思想の可能性』、六九ページ
＊10 『日常的思想の可能性』、六八―六九ページ
＊11 『日常的思想の可能性』、七〇―七一ページ
＊12 『日常的思想の可能性』、七一ページ
＊13 『日常的思想の可能性』、三三ページ
＊14 『日常的思想の可能性』、三八ページ
＊15 『日常的思想の可能性』、三九ページ
＊16 鶴見俊輔、『期待と回想 下』、一八九ページ
＊17 『日常的思想の可能性』、四一―四二ページ
＊18 『日常的思想の可能性』、四七ページ
＊19 『日常的思想の可能性』、五一ページ
＊20 『日常的思想の可能性』、三五ページ
＊21 『日常的思想の可能性』、五四ページ
＊22 『日常的思想の可能性』、二六ページ
＊23 『日常的思想の可能性』、二六―二七ページ
＊24 『日常的思想の可能性』、二七―二八ページ
＊25 『日常的思想の可能性』、一二五―一三〇ページ
＊26 『日常的思想の可能性』、一二六ページ
＊27 『日常的思想の可能性』、一二六ページ

＊28『日常的思想の可能性』、一二七ページ
＊29『日常的思想の可能性』、一二八ページ
＊30『日常的思想の可能性』、一三二ページ
＊31『日常的思想の可能性』、一三三ページ
＊32『日常的思想の可能性』、一三六ページ
＊33『日常的思想の可能性』、一四〇ページ
＊34『日常的思想の可能性』、一九五ページ
＊35『日常的思想の可能性』、一九七ページ
＊36『日常的思想の可能性』、一九七ページ
＊37『日常的思想の可能性』、一九八ページ
＊38『日常的思想の可能性』、一九八ページ
＊39 なお、『日常的思想の可能性』の目次では、「吉野源三郎著『エイブ・リンカーン』について」の副題が落ちている。
＊40『日常的思想の可能性』、二六八ページ
＊41『日常的思想の可能性』、二六九ページ
＊42 鶴見俊輔・上野千鶴子・小熊英二、『戦争が遺したもの』、一六一―二二一ページ
＊43『日常的思想の可能性』、二七六ページ
＊44『日常的思想の可能性』、二七五ページ
＊45「方法としてのアナキズム」、三八九ページ
＊46『日常的思想の可能性』、二八〇―二八一ページ
＊47『日常的思想の可能性』、二九五ページ
＊48『日常的思想の可能性』、三〇二ページ
＊49『日常的思想の可能性』、三〇二―三〇三ページ
＊50『日常的思想の可能性』、三〇六ページ
＊51『日常的思想の可能性』、三〇七ページ

第3章

鶴見俊輔を位置づける

本書は手放しに『日常的思想の可能性』を不朽の名作だと持ち上げるわけではない。
鶴見に倣い、思想を「実用的(プラグマティック)」に見るのであれば、
さらにもう一歩踏み込んだ分析的な視点が重要だろう。
前章では、社会運動における鶴見の思想を抽出・整理をしてみたが、
本章では、それらに距離を取り相対化してみたい。
そこで参照軸となるのは、同時代の様々な戦後思想だが、
ここで取り上げたいのは、主に丸山真男、小田実、吉本隆明の3人だ。
鶴見との距離感など三者三様ではあるが、
そこでの比較からみえてくるものを検討していきたい。

1 丸山真男からの批判

「あとがき」より

前章では『日常的思想の可能性』の骨格を、特に「社会運動論」という視角から読解した。それ以前の章も含め本書はこれまで、鶴見俊輔の思想について基本的には肯定的に論じてきた。しかし、本書は鶴見を無批判に崇敬したいわけでもないし、『日常的思想の可能性』を不朽の名作だと見るわけでもない。思想を「実用的（プラグマティック）」に受け取ろうとするならば、絶賛するよりもあえて問題点を探り、その限界も含めて、思想の適用範囲や適用条件を見定めることが重要だろう。

思想を測るのに有益な方法の一つは、他の思想と比較をすることだ。本章では何人かの「戦後思想家」たちとの比較を通じて、『日常的思想の可能性』および鶴見俊輔の「位置づけ」を行いたい。『日常的思想の可能性』の最も早い批判は、実は同書の「あとがき」に書き込まれている。

近頃、私は、丸山真男氏から自分の書いているものの核心にとどく批判をうけた（『思想の科学』、一九六七年五月号）。それは、一つは、日常的ということをたやすく日本的ということにおきかえるなという批判である。もう一つは、私をふくめて「思想の科学」にたいする批判なのだが、学問としてつくりあげてゆくべき型をもたないという点である。[*1]

この二点の批判の中身についてはこの後で詳しく触れよう。何よりまず紹介しておきたいのは、この丸山の批判によって、同書の書名が変更になったということだ。晩年のエッセイで鶴見は次のように書いている。


一九六七年のある日、私は何か用事があって、都内の喫茶店で丸山さんと会った。ちょうど私は校正刷りをもっていて、丸山さんに、

「評論の本を出すので、その題を、「日本的思想の可能性」ということにしました」

と言うと、

「それはよくない。君が僕に教えてくれた最大のことは、日常的ということだ。」

私はおどろいた。一九三〇年代の日本で、「日本的」と冠をつけた評論集は、ひしめきあって出ていた。「日本的思想の可能性」では、刊行から五十年もたてば一九三〇年代のものから遠くないところに置かれる、似たような本のひとつになってしまう。

このとき私は感じた。すぐれた思想史家は、著者その人よりも深く、その著作をとらえる場合がある。

本はすでに印刷所にあり、丸山真男との用事を終えると、私はすぐ出版社に電話し、印刷所に連絡してもらって、本の題名を変えた。私は、丸山真男に救われた。[*2]

この本人の回想によれば、丸山の批判によって刊行直前の著作タイトルを変えたという。ただし、

この証言には若干疑問が残る。先に見た引用のとおり、丸山の批判は『思想の科学』に活字の形で残されている。これは、鶴見による連載対談の一つで、「普遍的原理の立場」と題され、後に『語りつぐ戦後史』に収録された。雑誌掲載は一九六七年五月号、対談末尾の日付（実施日と思われる）は「一九六七・三」と記載されている。ここで丸山は、鶴見の「日本的」という形容を批判している。

特殊と普遍の関係を議論する中で、鶴見が「八百屋の小母さんは良いひとだとか、そういうことの積み重ねで、ある種の普遍的な思想の流れってものは出てくるんだ、そういうものとして思想を組みたてる道があるっていう考え方」を評価し、それを「日本的なもの」・「日本的な経験の積み重ね」と表現したのに対して、丸山は次のように述べる。

そこが鶴見さんの戦争直後の考えと違ってるんなら、私がむしろ鶴見さんの思想を誤解していたことになる。私はね、それは日常的なものであって、特殊なものとはいわないんだ。ここに犬がいるとか、我々は日常的にそういう関係のなかにいる。それだけのことですよ。日常的な経験を大事にするのが本当で哲学だってことは、まさにあなたから教わったことですよ。だけどね、日本的なるものっていわれると、ちょっと待ってくれっていいたくなるんだなあ。（笑）[*3]

これに対して対談での鶴見は、「いや、日本的ってことは止めましょう」とあっさり引き下がっている。

もし丸山から指摘を受けた「一九六七年のある日」がこの対談実施日だとすると、「何か用事があって」というのは軽すぎるし、同年七月刊行の『日常的思想の可能性』が既に印刷所に送られていたというのも若干早いかもしれない。あるいは、この対談でのやりとりの後に書名をめぐるやりとりが再度あり、対談での丸山のメッセージを改めて理解したということだろうか。

いずれにせよ、同書は刊行前から丸山の批判を受け、書名を変更する結果となった。

「型」の重要性

「日本的」をめぐる問題は後で触れるとして、まずは「学問としてつくりあげてゆくべき型」をめぐる議論を確認しよう。

この丸山・鶴見対談はそれ自体重要である。一つには丸山真男の被爆体験をめぐる発言がこの対談に含まれていた。丸山は、当日兵士として広島にいて「スレスレの限界にいた原爆経験者」となる一方、戦後は平和問題談話会などで原爆を国際関係の問題として議論していたにもかかわらず、「ビキニの問題がおこってくるまではそんなに深く考えなかった」、「原爆体験の思想化」が欠如していた、と語った。[*4] 被爆経験あるいは丸山真男研究で注目される証言だ。

一方後半の主題の一つは、先にも触れた普遍／特殊のどちらを強調するかという問題が繰り返し語られる。丸山と鶴見が構図自体の理解においてそれほど隔たっているわけではないが、「普遍性」に疑問を提示しようとする鶴見に対して、丸山はそれが西洋発だったとしても「理念」自体の「普遍性」を高く評価して譲らない。

……普遍の強調というのは、如何に誤解されようが、誤解の役割ってのは特殊の強調が誤解されるほどは悪くない、というのが私の根本の考え方なんですよ。普遍主義も誤解されて、欧米主義になったり、変なこともたくさんありますよ。しかし、そのほうがまだました。特殊性の強調が「ウチ」的日本主義になるよりもね。[*5]

この発言の直後に「普遍」と「特殊」のどちらが俗耳に入りやすいか尋ね、鶴見は「普遍のほうが俗耳に入りやすい」と答える。これを受けて丸山は「そこが、根本的に状況判断がちがうんだ。(笑)」と批判する。日本社会は上から下まで「人類普遍の理念とかそういった抽象的な理屈はどうでもいい」と思う一方、「日本の伝統とか、日本人としての誇り」などは抽象的だと思わずに頷いてしまう。それが「圧倒的な傾向」だと丸山は考える。そして鶴見に対してこう批判する。

それがわかんないようじゃ日常的なんていうのは止めたほうがいいな。(笑)私はあなたの哲学は大いに信用しますよ。だけど前からあなたの日常感覚は信用しないんだ。あなたの感覚は、非常に一般の日本人から浮いてるから。育った生活環境からいっても私の方がはるかにドロドロした「前近代的」なものなんです。(笑)[*6]

「(笑)」が挟まっているとはいえ、二人の信頼関係を前提とした、しかし鶴見のある側面を鋭く批判する指摘と思われる。こうした普遍/特殊のやりとりの先に、「型」の問題が論じられる。

丸山は江戸時代の「型の洗練」を指摘し、明治以降を「江戸時代が三百年かかって営々と築きあげて来た、型・形式がひたすら崩れてゆく一方的な過程」と見る。「型」を崩すこと自体は良いとしても、その代わりのものをつくり出すことに成功していない。これが「民主主義の未成熟」という問題につながる。そのまま大衆社会化が進み一層の「型なし社会」となっている。これが丸山の診断である。一方、アカデミズムの存在意義は「学問の型」を教えることにある。そこから思想の科学研究会への次のような批判が提出される。

……思想の科学研究会は思想や学問のこれまでの型に反逆したわけですね。それはそれでいい。しかし、ただ型や形式をぶちこわすというだけだと、日本の文脈ではどうなるか、とくに現代のような社会ではどうなるかっていえば、マスコミにたいして、全く無抵抗になるんですよ。だって、マスコミはいわば型をこわすことを商売にしている産業だから、これにたいしてアカデミーってのはね、まさに、学問の型をしつける場所なんです。つまり、あそこにね、必ずしも、オリジナルの思想家がいるわけじゃない。新しいアイディアを想像する場でもない。しかし、そこでは、学問の型を教える。そこで現代の日本でたんに反アカデミズムなんて呼号することはね、さなきだに内容主義、便宜主義の風習の強い日本では、江戸時代においてわずかに例外的に支配的だった型をしつけるという意味ってものを、全く忘却することになるんです。……私が思想の科学研究会に参加したのは、民間のアカデミズムをつくるっていうから、それは非常に良いことだ、と思ったからですよ。(笑)ところがだ、型とか形式を蔑視する内容主義になっちゃったから、きびしいシツケの嫌いな方は、イラハイ、イラハイ、ということになった。これが思想の科学研究会にたいしてもっている私の根本的な疑問です。[*7]

この対談の最終節は、前記の引用部分を含みつつ、「型のもつ意味」の強調および思想の科学研究会批判の長い丸山の発言で終わる。鶴見からの反論は記されていない。

ただしこうした批判自体は鶴見も想定済みであり、また受け入れてもいない。『日常的思想の可能性』の「あとがき」時点で、「この批判も甘んじてうける」とし、単なる「型なし」はまずいとは言うものの、「私としては、型くずしの方向にかけてころがりおちるまでやって見る他ないと思っている」とむしろ丸山との方向性の違いを鮮明にしている。[*8] 一〇年後の発言でも「丸山さんは、主張にまとまりがないと重くみないけれども、私は断片的なものに関心をもっている」と、この点は開き直っている。[*9]

この「型」をめぐる問題は、前章で見た「あてはめ学風」の評価と深く関わっている。「型をしつける」ことを最重要とする丸山の主張を鶴見が採用できないのは、前章の「サークルと学問」を踏まえると理解しやすい。

ただし若干注意も必要だ。前章の紹介でも指摘したとおり、鶴見も「あてはめ学風」を崩しさえすればそれで良いとは六〇年代前半期には主張しなかった。むしろ「学習の機関としての大学に第一の学風「あてはめ学風」がのこることは健全だろう」とも言っていた。これが「型くずしの方向にかけ」るとまでなるためには、鶴見の微妙だが決定的な立場の移動が必要となるだろう。

一方、丸山もその後評価を変えている。

……ひとつには「あまのじゃく」根性ということもあって、かつて俊輔さんと対談したときも、意地悪なことばかり言いました。けれど今日はそのころとまた状況が大きく変わりましたね。文化の拡散もいいところで、反知識人主義とか、反エリートとかいくらりきんでも、その肝腎の知識人や知的エリート自体が見えなくなっている。雑誌ジャーナリズムを見てごらんなさい。『思想の科学』は今日では硬派の代表雑誌です（笑い）。よくぞがんばっている、と言いたい。これはけっして皮肉で言うわけじゃないんです。大いに激励したいし、そのためには過去の悪口をとりけしてもいい、とさえ思っています。[*10]

一九九二年の発言である。ただ、結局「硬派」なものを擁護しているので、「型のもつ意味」の強調自体を撤回したわけではない。

「日本思想の可能性」

見てきたように、「型」の問題は鶴見の誤りというより、両者の立場の違いが鮮明に表れた論点だと見るべきだろう。一方、もう少し深刻な批判だったのは、「日本的」をめぐる問題の方だ。既に触れたように、鶴見は当初予定していた「日本的思想の可能性」の書名を撤回し差し替えた。「あとがき」においても「自分のものの言いかたのあいまいさをまずいと思う」とほとんど全面的な反省を述べている。

だが、タイトルの一語さえ替えればそれで鶴見の方向性が全て書き換わるわけでもなかろう。そのことがよくわかるのが、『日常的思想の可能性』の冒頭に置かれた論文「日本思想の可能性」である。『限界芸術論』の冒頭論文が「限界芸術」概念を展開していたように、もし『日本的思想の可能性』という書名だったならば、この「日本思想の可能性」は同書の立場を端的に示すものと見られただろう。だが私は前章であえてこの論文を扱わなかった。鶴見の「日本的」という形容（概念）の弊害が強く表れているように思われたからだ。

同論文は文字どおり「日本思想」というものを問うている。冒頭には「日本とはなにか、日本に生きているということの意味はなにかを、私はあらためて問いたい」と書いていて、ここには丸山が批判したように、「一般の日本人から浮いている」鶴見らしい問題提起が見られ、直線的に日本を礼賛しようとする論文ではない。だがそれでも、相当怪しい議論展開になっていると言わざるを得ない。

まず、「日本からは、世界史的な意味を持つ偉大な個人は出なかった」が「日本人の集団が、この百年にしてきたことは、世界にとって大きな意味を持っている」として、明治維新と十五年戦争[*11]を取り上げる。この前提自体も疑わしいが、とりあえず十五年戦争のところで鶴見が何を言っているか見よう。

鶴見は吉田満著『戦艦大和ノ最期[*12]』で描かれた「自分たちはなぜ特攻するのか」についての大和艦上での議論（特に臼淵大尉の主張）に着目する。「非合理な命令や構造が明らかになるために自分たちは死ぬ」とかれらは結論づけた。鶴見はその発想を「合流の論理」と名づけて評価する。

自分たちはこの方角にむかって動く。自分たち以外の諸勢力は自分たちを押しつぶすためにこのように動く。その結果自分たちはこのように屈折して、自分たちの目的を達せずして失敗するであろう。その自分たちの失敗のしかたそのものが、自分たちのプログラムの中にふくまれて、自分たちが現在表面的にこころざしているよりも高い目的が、自分たちの失敗の上に現れてくるだろうと考える。*13

この「合流の論理」を具体的に当てはめるとどうなるか。「戦争を放棄したその憲法、徴兵制度を持たない国家のかたち」を持ったこと、圧倒的な敗戦・占領の結果それらを受け入れざるを得なかったという経緯も含め、それを「十五年戦争の避けがたい遺産」として受け取るべきだと展開する。もちろん鶴見は、戦争の目的や遂行自体を正当化するわけではなく、「日本の戦争意図の失敗の結果として戦後の日本の思想が生まれた」と述べる。

だが、これは極めて危うい議論だ。鶴見は、当時の戦争指導者や言論指導者による「単に目前に新しく生じた結果を常に正当化する論理（状況追随の論理）」を批判し、「合流の論理」とは区別する。しかし特攻を行う者たちがどのような論理をつけて納得しようがしまいが、既に行動の選択肢が奪われた状況での議論である以上、それで歴史が変わるわけではない。実際、戦後に日本国憲法ができたことと戦艦大和が撃沈されたこととの間に関係があると判断するのはかなり困難だ。「合流の論理」と言うが、実際に行動の選択肢がない以上、「合流」を選べるのは観念上だけでのことだ。無駄死にを無駄死にとして受け取るかどうかは後世の者たち次第であり、「合流の論理」は役に立たない。「かれらの特攻が平和国家をつくった」という主張は戦後的靖国思想と同じだ。この議論には鶴見の「戦中派」意識と靖国神社への甘さが出ている。[*14]

いずれにせよ、こうした経緯を経て生み出された戦後日本の平和思想を一つの「ユートピア的構想力」だと評価し、「集団的思考の回路をとおして」それをつくったところに「日本思想」の強み・弱みを鶴見は見ている。もちろん、「特攻」正当化の論理を日本思想として評価しようとしたわけではない。だがこの「合流の論理」の立論には、「日常的思想の可能性」とは真逆のもの、つまり個人の生活や生命を軽視するナショナリズムが覆っている。

「伝統」の安易さ

そして同論文の最終節は「伝統について」と題されているが、ここでの「伝統」も安直に使われているように思われる。

最新の「流行」を常に気にしてその「新しい権威」に同化しようとする「社会全体の傾向をもって自分の判断の基準にする習慣」すなわち「ニュース主義」を鶴見は批判する。前章で見た「一番病」と重なる批判だ。「現在」への過度の傾斜に対して、「現在を現在としてうすく切ってはいけない。われわれの力でゆるすかぎりの厚みをもつものとして、現在のどんなニュースをもとらえるべきだ」と述べる。[*15]「歴史の厚み」を提起すること自体は適切な指摘だろう。

だが、その「厚み」の例が、いきなり「地球の歴史の厚み、人類の歴史の厚み」から始まってしまう。そして日本の状況を考えるときも「いつかは、『古事記』以来の流れの中で、日本の伝統そのものの厚みをもって現在の日本の状況を切りとってみるところにまで進み出たい」と書いている。これはとても賛同できない。

一般論として、「日本文化」や「日本思想」を探究すること自体はあって良い。だが少なくとも現時点の「文化」理解からすれば、「日本」の枠組みをあまりに自明のものとして固定した「伝統」の実体視だ。「日本」の国境線はもちろん、「日本」としての自意識も歴史的に形成されてきたことは、今となっては当然の前提だろう。一九六〇年代の鶴見の議論を現在の視点から断罪するのが不適切だと言うなら、当時の「常識」であるところの「階級」も無視されていることを挙げても良い。いずれにせよ、なぜ「日本の伝統」と一括りにできてしまうのか。ここには、単一の基底としての「日本文化」「日本思想」という想定が強固に存在している。

鶴見は「日本語を共にし、日本文化を共にする者同士のあいだでは、創作の場がひとつだ、という実感が私の中に働いている」と、「日本思想」にこだわる理由を最初に明示している。[*16] ここには、日本社会に溶け込めず、アメリカで暮らし英語を身につけた鶴見だからこその逆説的ナショナリズムが表れているように見える。

「過去が過去として切り離されることなく現在の中に生き、われわれを未来にむかって推し進めるように働く。それが思想の力だ」[*17]という主張は、一般論としては理解できる。だが、現代社会を考えるには、『古事記』とつなげるより先に知るべきことはあまりに多い。今の社会を『古事記』とつなげて違和感がないのは、両者が同じ「日本」で結ばれるからだ。「日常的ということをたやすく日本的ということにおきかえるな」という丸山真男の批判がよく当てはまってしまう論文だと言えよう。

2　補助線としての「べ平連」

「補助線の必要」

前節では丸山真男との対照を見たが、以下ではもう少し幅広く比較を試みよう。

その際に有益な鶴見自身の用語がある。「補助線」がそれだ。もちろんこれは数学の図形問題などで一般的に使われていて、鶴見の造語ではない。新たにその線を付け加えることで図の見え方が変わり解答につながる、そうしたヒントを与える線のことだ。しかし、数学以外の問題にも適用するという点で、鶴見の用法が後世に大きな影響を与えているように思われる。

「補助線の必要」という鶴見の文章もまた『日常的思想の可能性』に収録されている。副題にあるようにイ・ユンボク著『ユンボギの日記』（太平出版社）の紹介として書かれた。『ユンボギの日記』は、韓国人少年イ・ユンボクの貧しく苦しい生活が綴られた日記で、韓国で一九六四年に出版、翌年日本語で翻訳が出された。

日本でも子どもが自分の体験を文章で書くという指導がなされていたはずだが、戦後二〇年経って社会が変わり、その体験記録に「日本社会の不条理は姿をあらわしにくくなっているのではないか」と鶴見は考えた。また『ユンボギの日記』には日本の植民地支配の歴史の痕も映し出されている。こうして、見えにくくなっているもの、見ようとしないものに向き合わせてくれる作品として、鶴見は同書を論じる。『ユンボギの日記』自体を作品内在的に評価すると言うより、日本社会を省みるための助けとして捉えている。

戦中戦後の動乱期は遠くなった。日本人の体験はだんだんひらべったくなってきて、自分の体験を見ることだけではその体験の構造をつかまえにくくなっている。自分の体験の構造をとらえるために補助線をひくことが必要になる。なぜ「ワイロ」という言葉が日本語ばかりでなく朝鮮語としても今もつかわれているのか。なぜ日本にとって敗戦（これをまだ「終戦」とよんでいる）の日が朝鮮人にとっては解放の日なのか。そういうことと考え合わせることをとおして、私たちは自分たちの体験の中深くにおりてゆくことができる。*18

ちなみに「補助線の必要」の前半部は、その「必要」性の議論として、（子どもたちに限らず大人にとっても）「戦後」が遠くなったことの問題を論じている。具体的には、上から与えられたものをそのまま受け入れ、「うたがう」ことをしなくなったことの事例を並べ、その危険性に警鐘を鳴らしている。「補助線」は、戦後の高度成長の安楽の中で「ゆでガエル」のように批判精神を失いつつある状況を、浮かび上がらせるために求められている。

話を戻そう。本書にとっての「補助線」は、鶴見を位置づけるためのものだ。特に本書は社会運動論として鶴見思想を読もうとするのだから、同じように社会運動に関わった人々の中に鶴見を置いてみることが有益だろう。そうすることで、鶴見だけを見つめるのではたどり着けないような、「中深くにおりてゆくことができる」。そうした「補助線」として本節ではべ平連に再び注目したい。

べ平連の三つの源流

第1章で触れたように、鶴見は東京のべ平連に参加した。というより、それを最初に呼びかけてつくり出した中心の一人だった。べ平連は自他共に「市民運動」として知られる存在だった。「市民運動」と言えば、その源流は、やはり鶴見が中心的に関わった、六〇年安保闘争以来の「声なき声の会」に求められる。したがって鶴見は、「市民運動」を担った知識人の代表的存在と言えるだろう。

しかし、「市民」あるいは「市民運動」の語は六〇年代に盛んに用いられ、その後「定着」したかのように現在まで使われているが、それほど明確で適切な概念ではないと私は考えている。*19 たとえば、同じ「市民運動」であるはずの「声なき声の会」とべ平連では、運動のあり方はだいぶ異なる。そのことを含め、そもそもべ平連自体が一色ではない。鶴見俊輔理解の「補助線」を引くのに、べ平連についてもう少し踏み込んで見ておこう。

鶴見からの勧誘を快諾し、最初のデモを呼びかけ、べ平連唯一の役職である「代表」となった小田実は、一九九五年の「回顧」の中で、べ平連の成り立ちについて次のように述べている。

私がなぜこの当時としてはかなりはなやか、にぎやかな人間のつながり［小田自身の周辺］のことを少しくわしく書いたのかというと、この輪が鶴見［俊輔］さんや高畠［通敏］さんのような、あるいは「声なき声の会」のような、私が彼らのことをいつもからかって呼んでいた言い方を使って言えば「マジメ市民」のつながりとともに、そしてまた、明確に「左」のイデオロギーを持った、これもまた私のカラカイの言い方で言えば「政治集団」とともに、三者がからみあいこんがらがりながら「ベ平連」の運動の形成を始めていたからだ。私のカラカイの言い方を今少しつづけて言うなら、この私やら中古、格安のキャデラックの持ち主［久保圭之介］らを中心としてかたちづくられた人間の輪はさしずめ「インチキ市民」の輪ということになるが、「マジメ市民」「政治集団」「インチキ市民」、この3者がおたがい異《ママ》和感、戸迷い、ウンザリを感じあいながら、ただ一点、それこそ「ベトナムに平和を！」の志でつながって動き出したのが「ベ平連」の運動だった。[*20]

　ベ平連は「市民」の集まりであったが、あらかじめ「市民」とされた人が運動を始めたというより、小田の定義で言えば街頭で自分の主張を行う、すなわちデモをすることで「市民」となっていった。[*21]したがって、最初から同種の人たちが集ったわけでもなかった。もちろん小田が描いているのは「つながって動き出した」最初の段階であり、始まったあとは「違和感、戸迷い、ウンザリを感じあいながら」もともに運動を続けることで、「市民運動」の代表的存在になっていった。

　小田自身は自らの分類によれば「インチキ市民」に当てはまる。「はなやかな、にぎやかな人間のつながり」とあるように、数年前（一九六一年）にベストセラー『何でも見てやろう』を出版した売れっ子作家・小田を中心に、その映像化で関わりを持つようになった映画プロデューサー（久保圭之介）

やＴＶディレクター（小中陽太郎）など文化産業の庶民離れした交遊関係がベ平連の一つの軸となった。[*22] 後にはベ平連を離れるものの、結成時から参加し米新聞への意見広告運動に奮迅した芥川賞作家・開高健もここに含めていいだろう。

久保圭之介の中古のキャデラックがアメリカのベトナム戦争反対を訴えるベ平連のデモの先導車となったり、女性を追いかけてＮＨＫをクビになったばかりの小中陽太郎が「失業者代表」として集会でアピールしたりと、かれらのおちゃらけた運動参加は顰蹙を買った一方で、その楽しさ・気楽さは、運動参加の心理的障壁を低くしたように思われる。そもそも小田にしろ開高にしろ、かれら自身が「有名人」であり、「文化人」の運動というイメージはミーハー気分の人々を引きつけるのに役立っただろう。

「マジメ市民」

小田によれば、鶴見は「インチキ市民」には含まれていない。むしろ高畠とともに「マジメ市民」の代表とされている。小田は「インチキ市民」の先に紹介したような運動参加を「多分に酔っ払い的な、いいかげんな『自発』だった」と述べる。それに対して「マジメ市民」のそれは「千万人といえどもわれ行かん式の覚悟をきめた、それをどこかに秘めた『自発』だった」と表現した。[*23]

その「覚悟を決めた」側面をよく示しているのが、「声なき声の会」の運動のあり方だろう。「マジメ市民」は、鶴見や高畠といった個人を指す以上に、「声なき声の会」から流れてきた人たちを指していた。第1章で見たとおり、「声なき声の会」は六〇年安保闘争の高揚の中から生まれた。その意味では雑多なべ平連への参加動機とそう違わなかった。しかし、安保闘争の退潮につれて、次第に参加者やその熱気は減っていった。むしろ熱狂が去った後に、久野収あるいは日高六郎が「市民」あるいは「市民主義」と名づけた運動参加のあり方、つまり「あらゆる『圧制』に反対する人民主権の主体としての市民的自覚……言論、思想、信仰、集会、結社等の自由をかたく守って一歩もゆずろうとしない」[*24]という志向が模索されていった。

一九六一年一〇月、「声なき声の会」も参加した政治暴力防止法案（政暴法）に反対する「政暴法をせきとめる会」のデモは、通行人もほとんどいないコースに変更された上、雨の降る中、少人数で行われた。もちろん会にとって望ましいデモではなかっただろう。しかしそれをこう意義づけた。

濡れねずみのデモは終った。それは存在した。存在することが、すべてだった。私たちの行為の最終目標はそれだった。私たちは三〇人の歩みによって政暴法案を否んだ。これは将来への一つの核の用意に他ならなかった。いわば私たちは種をまいたのだ。[*25]

デモの「政治的効果」をここに見ることはできないだろう。だが「将来への一つの核の用意」となったと述べている。その中身は様々に解釈できるだろうが、前章までに見た鶴見の運動論に引きつけて解釈するならば、「濡れねずみのデモ」は、どんなに厳しい状況の中であっても反対運動に立ち上がることができるという事実の顕示であり（「存在することが、全てだった」）、運動の出現可能性を社会に対して証明すると同時に、少数の参加者たちにとっては「自分の反射を新しくする」機会やそれに基づく自信を与えることになる。少数であっても運動をやり抜くという姿勢が、「マジメ市民」の立場だった。

「政治集団」

その一方、最終的な社会変革を見据え、「政治」として運動に参加してきたのが、小田の言う「政治集団」だった。これは「市民」に対して「左翼」（マルクス主義者）のことを指す。さらに言えば、ベ平連における「政治集団」は共産主義者一般よりさらに限定的で、特定の政治潮流を意味し、六六年に共産主義労働者党（共労党）に結集した人々のことを指していた。具体的には、いいだもも・栗原幸夫・武藤一羊・吉川勇一など、ベ平連の中心人物と言える人たちであった。

かれらはベ平連で重要な役割を占めただけでなく、共労党においても中心的役割を果たしていた、いわば党の「顔」でもあった。ベ平連の一角をマルクス主義の「党」が担っていたという事実は、「市民運動」のこれまでのイメージを揺るがす面がある。[*26]

当時、広義の構造改革派として六〇年代前半に共産党から離れざるを得なくなった人々が、マルクス主義も政治運動も手放すことなく独自の運動のネットワークを複数築いていた。そうした潮流のいくつかが共労党へと至った。

実は、鶴見が新たなベトナム戦争反対運動を始めようと考えたとき、当初の名称どおり、その実体を「市民文化団体連合」として構想した。こうした運動体づくりの一環として、鶴見と武藤一羊が話し合い、ベ平連への「政治集団」の参加が実現した。武藤は次のように証言している。

［武藤らが独自のベトナム戦争反対の動きを始めた頃に］……鶴見俊輔さんなど文化人が集まって新しいベトナム反戦運動をつくるらしいという話が入ってきた。せっかくこっちが始めたのにと思ったけれど、その方が社会的に大きい動きがつくれそうだ、新しい動きに合流して一緒にやりましょうということにしました。反対もあった。ああいう軟弱なところと一緒にはやりたくないと（笑）。しかしとにかく一緒にやりましょうということになって、ぼくが使者に立って鶴見俊輔さんと初めて会いました。……ともかく合流の話がまとまって、ベ平連の四月のデモに行くんですよ。*27

「自立した個人が一人の『市民』として、小田実らの呼びかけで湧き出てきて結成したのがベ平連」というイメージとは異なる裏舞台が、この証言から浮き彫りになる。

「政治」の論理

「マジメ市民」と、「政治集団」は、同じベ平連を支えながらも、対照的な存在だったと言える。ここでは特に鶴見と対照的な存在として「政治集団」の一人だった武藤一羊に着目しよう。

第1章で見たように、ベトナム戦争反対を「シングル・イシュー」としたベ平連は、南ベトナムからの米軍撤退が現実化する中で一九七四年一月二六日の集会を最後に解散した。この集会を伝える『ベ平連ニュース』終刊号（一九七四年三月一日付）は、表紙が小田実のメッセージだが、実はこの集会に小田はおらず、海外から手紙での参加だった。「最後の集会」と題され大きく掲載されているのは、鶴見俊輔と武藤一羊のそれぞれの発言記録である。いわば、ベ平連を代表する三つの顔として、小田（インチキ市民）・鶴見（マジメ市民）・武藤（政治集団）が紙面に選ばれている。

そして内容が実に好対照だ。『乗っ取る』運動へ」と題した武藤の発言は、前半で石油危機とインフレの（当時の）現状を紹介しながら、「繁栄の中の運動」であったこれまでとは異なり、「我々が何とかして問題を発見しようというのではなしに問題の方が向うからおしよせてきてしまった時代に入っている」とみなす。つまりそれまでは「ベトナムは我々と関係があるんだぞ、あるんだぞということを言い続けてきた運動」であらざるを得なかったが、現在の変化の中で「敵がこれほどはっきりみえてきたことはない」という状況にあると武藤は考える。

すでに膨大な利益を得ていたアメリカの資本というものが、今やこの我々の何とも言えない窮状を直接につくりだしているのです。そして日本の独占資本というものはそれに便乗して儲けた。……金融引き締めで銀行を締めるならば中小企業は倒産するでしょう。それが彼らのねらいなのです。そうして独占力をさらにつよめる、そのことによって彼らは乗りきろうとしている。そしてそれがアメリカと結びついて膨大な世界的な独占をつくっている。これが敵だということ、これは非常に明白ではないですか。かつてはこのようにはっきりと敵は見えなかった。*28

その上で「権力」を問題にする。それは選挙で勝つなどではなく、「ものを誰が決めるかということが権力」なのだ。タイトルにある『乗っ取る』運動へ」とは、これらの決定権を自分たちの手に取り戻すことであり、その必要性を主張している。

　マルクス主義の立場から運動に対して何らかの提起をしようとする場合、世界経済や社会問題など、自分たちを取り巻く問題状況をまず名指し、その構造を分析し、そこから取り組むべき対象（「敵」の最も弱い環）を摑み出すという展開になることが多い。いわば「必要性」の側から社会運動に関わる論理だ。武藤の「現状認識」も、世界分析から運動テーマを取り出すこのスタイルの典型と言えよう。

　ちなみに、べ平連が解散するのと入れ替わるように、鶴見は『朝日新聞』で論壇時評を始めている（一九七四・五年の二年間）。ちょうど解散集会の時期に重なる一月に、鶴見は武藤の「天下大乱の構造」（『展望』一九七四年二月号）を取り上げてコメントした。掲載日をまたぐ形となった後半で次のように書いているのは、武藤の「スタイル」を鶴見がどう見ていたかをうかがわせる。

> 前回紹介した「天下大乱の構造」は、単純明快な線で世界の構図をえがく。言いよどみというか、陰影にとぼしいところが気にかかるのだが、それは進撃の旗印として書かれたこの論文の独自の強さでもある。[*29]

「旗印」を掲げそれに向けて運動を「進撃」させようとするスタイル。一方の極としてこの武藤のスタイルを置くことができる。

べ平連と「入れ歯」

さて、それに対して、鶴見は解散集会で何を述べたか。紙面で「べ平連への別れのことば」と題された発言内容は、小見出しにあるとおり「七五調から散文精神へ」とひとまず要約できる。定型化した七五調はそのナルシティズムが恥ずかしくそこから離れたいと思ってきたが、東京のベ平連も「全体の印象から見ると定型化してきた七五調がでてきたという感じがする」と述べる。だから「この定型をもう一度打破しなければいけない」というのが現在の課題だと鶴見は考える。「東京べ平連が解散することが退却の口実になるのではなくて、そういう一つのきっかけになればいいと私は思う」、それが「散文精神へ」ということだ。

しかし、これを受けた後半で話は冗談めいてくる。突然「入れ歯」の話になるのだ。

べ平連が始まってからもう九年がたっているんです。九年といえば私個人についていえば、歯のことですね。べ平連が始まった時には、私の「歯」は健全だったのですが、今や上段一列全部入れ歯ですね。今日の話は大変発音は不鮮明だと思うんですが、これは私が元気がないということからくるだけではなくて、歯のせいなんです。もちろんもっとやれ、九年なんかなんだ、上も下も全部入れ歯になるまでやれ、というご意見もあると思うんですが、そうありたいと思いますが、まずはちょっと休んで入れ歯をいれたいですね。いい入れ歯を入れればもうすこし発音鮮明に話ができるのではないかという希望をもっているんです。*30

ここから「老化」の話題になり、ベ平連運動は「肉体的には老化をさらにはげしくするという効果をもった」が、「精神の上では老化を防ぐ運動でもあった」（ちなみに当時鶴見は五〇代に入ったところだ）。そうした精神面での効果をもたらしたのは、「メダカの学校」の歌にあるような「誰が生徒か先生か」という、それぞれが教わる関係を持つことができた「自由な運動」だったと鶴見はベ平連を評価する。

そういう個人的な感慨が私にとってはベ平連なんですね。これは私にとっては学校としてのベ平連なんですね。

発言の末尾は、前半の「七五調」の打破というテーマを受け、「ベ平連粉砕、ベ平連万歳。」と格好良く結ばれている。これだけを読む人は、意外性のあるエッセイという程度に受け取るかもしれない。しかし、同じ解散集会での発言として、「政治集団」・武藤一羊の先の発言と並べるとき、一切「現状分析」から運動を論じようとしないスタイルは際立つ。ベ平連についてその運動自体の内的必要性（「七五調の打破」）から論じることはあっても、世界や日本の状況は関係がない。しかも「ちょっと休む」必要性は鶴見自身の「歯」の問題に（あえて）還元されている。徹底的に個の事情から運動を考えようとする論理だ。

「愚俗の信」の評価

運動を外的必要性からではなく個人の側から捉えようとするこの鶴見の立場は、前章までで見てきた「一番病」批判や「反射」の考え方とも結びついている。「愚俗の信」の肯定にもそれは表れている。

一九六八年に発表された「平和の思想」という『戦後日本思想体系』(筑摩書房)の解説文において鶴見は、理論的な「反戦」の思想に対して、日常的な「信念」に支えられた「厭戦」の平和思想を評価する。柏木義円から「愚俗の信」という言葉を借りて次のように述べている。

学問によってそう考えるようになったとか、世界情勢のニュースを分析してそう考えるようになったとかいうのではなく、人が根拠なく人を殺すのはよくないという素朴な日常生活上の信念をもってそこから同時代を判断する考え方を、平和思想における「愚俗の信」の立場と呼ぶとすれば、「愚俗の信」に支えられた場合にのみ、学者・評論家・政党活動家・官僚の平和思想に信頼することができる。*31

理論や情勢判断として平和を求めること自体がいけないわけではないが、マルクス主義者が戦前には「転向」の結果日本の侵略戦争を肯定したり、戦後はソ連や中国の立場におもねって軍事介入や核実験を擁護してきた歴史を踏まえ、「戦中、戦後の日本の言論の歴史は、このように世界の大勢からときおこす人々が、平和の思想から平和以外の思想にかわりやすいことを示している」と述べる。*32 ここには「一番病」批判と重なる、「主体のかかわらせかたをぬきにした平和論」のもろさが指摘されている。

その対極に置かれるのが「愚俗の信」だ。ただし「信念」だけでは社会に痕跡を残せない。なぜなら鶴見のプラグマティズムにとって、思想とは「信念と態度の複合」である。したがって、「愚俗の信」は何らかの「態度」によって支えられる必要がある。それは必ずしも反戦・平和運動に参加すべしということではない。「無行動」もまた「態度」の一つとして選ばれている可能性がある。

……無行動ということはある重さをもってくる。戦争のためには自分の指一本あげまい、同時に、反戦運動などというものにもある種の権力意志とある種の戦争勢力との結託を感じるから、このためにも指一本あげまいという考え方には根拠がある。[*33]

一九六八年の文章だから、まだ「新左翼」党派の内ゲバは激化していない時代だが、大衆運動の分裂など、「平和運動」勢力への不信を生む経験は十分蓄積されていた。

ちなみにこの「無行動」の評価は、鶴見の運動論にとっても重要な論点だ。『日常的思想の可能性』に収録されているが前章で紹介しなかった「さまざまの無関心」（一九六六年）において、「われわれは、われわれが敬意をもって対するような政治的無関心が、今の日本にあることを、いつもおぼえていたい」と書いている。政府に賛同しているわけではないが、「もっとも創造的に自分の持ち場で生きている人々」はデモや集会に出てくるわけではない。そうした人々とも「未来のいつかの点において交流する日の来ること」を鶴見は望む。[*34]

「呪文」の効用

とはいえ「無行動」だけを称揚しているわけではもちろんない。極端な例として鶴見は、「愚俗の信」に基づく平和の実践として「呪文」すら評価している。たとえば、毎年八月になると「平和の尊さ」といったスローガンだけがマスメディアで繰り返される。平和資料館などに来訪者が書き残すアンケートには「戦争は悲惨」「平和の大切さをかみしめ」云々という定型句があふれている。

一方で、一九六〇年代以降の反戦運動は、そうした空疎なスローガンの下で日本が軍備を増強し、米軍と一体化して世界の平和を脅かしてきたことを批判的に論じてきた。その批判の意義は鶴見も否定はしないだろう。だが、それを踏まえてなお「呪文」に意味があると考える。「呪文」は「ゆっくり自分にかければ、それで身を守ることができる」[*35]、つまり「反射」を叩き込む一つの実践でもある。

ふつうに論壇の基準でいえば低く評価されるのですが、反戦とか厭戦とかいうことを呪文のようにくり返している人がいるとしますね。私はその場合にもある程度の好感をもちます。呪文を破られないかぎり呪文として相当なものだと思うからです。しかし呪文というのは、いったん破られたら怖いです。だからそのもろさも考えますけれども、そういう呪文をつづけて唱える立場には共感をもちますね。[*36]

序章で触れたように、鶴見は六〇年代までの運動に関わった自身の主張の多くを「白塗りのモノ」、つまり「正義」の発言をしてしまったもので、本来の「悪人」の鶴見らしくないものが含まれていると考えたようだ。しかし本書はそれを鶴見の「本音」として崇めるつもりはない。そもそもそれが晩年の鶴見の最終的判断だとも思わない。

本章で丸山真男とのエピソードを紹介する際に引用した『思い出袋』は、著者八〇代の「もうろく」の中で書き続けられた。これまで鶴見の文章を読んできたものにとって、新鮮味のあるエピソードは同書にはほとんどない。では何のためにこれらの文章は書かれたのか。著者はこう言っている。

「もうろくによって」個人の名前は消えてゆく。私にとっては地名はもっと早く消える。あるというだけの大海に向かって進む。「ある」の向こうに「ない」があると、今はまだ想像力で推定できるが、その想像力をなくすと、「ただあるの状態」で自分は終わるのだろう。途上、自分に使いやすい索引を、くりかえしあらためて編むことを心がける。[*37]

その「自分に使いやすい索引」の中に、戦争をめぐるテーマが繰り返し現れる。もちろん、鶴見の人生にとって若い頃の印象的な経験だったという理由もあろう。だが、それだけではない。

それにしても、戦争の記憶は、もうろくの中に埋もれた燠火《おき》として、今も私をひそかにあたためている。[*38]

「もうろく」によって細部が脱落していく時間の中で、鶴見が「戦争の記憶」だけは忘れまいと呪文をかけ続けているように私には見える。そこにあるのは、遠ざかったように見えた戦争あるいはそれを可能にした社会が、晩年改めてリアルになったことへの鶴見の（もうろくしながらの）力点の移動があったのではないか。

いずれにせよ、平和運動をはじめとして、運動において個人を起点として議論を立てるという鶴見の特徴的なスタイルに注目すべきだ。これは武藤一羊の例のような「政治」の必要性から立論するスタイルと正反対である。

3 小田実との差異

「難死の思想」

世界の必要性から運動を論じるのを「公」の論理とするならば、個人の事情に即して運動を考えようとするのは「私」の重視と言える。この点で、武藤と鶴見は鋭く対立している。しかし、両者が共存したのもべ平連だった。そこで重要となるのは、解散集会には不在でありながら、『べ平連ニュース』終刊号を飾った小田実の存在だろう。ちょうど小田は、「政治集団」・「マジメ市民」に対して、「インチキ市民」を代表していた。

先の両者の対立軸において、小田の立場はどのようなものか。結論を簡単に言えば、公／私の二者択一ではなく、その綜合であり両立だと本書は捉える。鶴見理解を深めるために、ここでさらに小田実の思想へと迂回してみたい。

小田は一九三二年大阪生まれ。一九三一年生まれの武藤とはほぼ同年齢、鶴見と比べると一回り若い世代だ。東京大学在学中に小説を発表する一方、一九五八年にフルブライト留学生としてハーバード大学に在学。留学後、世界一周貧乏旅行をしながら帰国し、その旅行記『何でも見てやろう』はベストセラーとなった。

したがって六〇年代前半期既に有名作家であり、社会的発言もしていた。だが、貧乏旅行からの帰国直後だったため六〇年安保闘争には参加しなかった。そのため第1章で見たとおり、六〇年代半ばの時点で手垢のついた「知識人」ではなかったことから、ベ平連の呼びかけ人として白羽の矢が立った。ベ平連の始まりとなった最初のデモは一九六五年四月。これ以降、「ベ平連代表・小田実」という市民運動家のイメージが形づくられる。

だが、ベ平連開始直前に、あたかもベ平連の問題意識を予言するかのような論文が既に書かれていた。小田の代表作と言うべき「難死の思想」だ。雑誌『展望』の一九六五年一月号に掲載された。「難死」とは何か。それは「散華」と対比される。「散華」は戦時下の特攻隊のような、大義に包まれた美しい死を指す。それに対して、少年だった小田や周囲の民衆が体験したのは「難死」でしかなかった。つまり大義なき、無意味でみにくい死だ。

その後も繰り返し紹介しているエピソードとして、小田は一九四五年八月一四日の大阪空襲にこだわる。八月一五日の「玉音放送」によって日本の敗戦は国内外に明らかにされた。だが、日本の「降伏」の大勢は本当は何日も前に決していた。天皇の地位をめぐる「条件」確認に時間を費やしていたのだ。そのせいで、戦争の終わるまさに前日に、大阪に爆弾が落とされ多くの人が殺された。小田は助かったものの、黒焦げの死体が周囲に広がっていた。

その日、それまでほとんど無傷のまま残されていた、当時東洋一を誇る砲兵工廠は完全に壊滅した。そして、その工廠のなかで、その周辺で、おびただしい数の人間が殺されたのである。／あれこそ、もっとも無意味な死ではなかったろうか。すでに敗戦は確定していた。私は工廠の近くに住み、したがって防空壕のなかでふるえながらその地獄の午後をすごしたのだが、空襲のあとで、空からまかれた「お国の政府が降伏して、戦争は終りました」云々のビラを拾ったのである。／あの死をどんなふうにかんがえることができるか。たしかなことは、彼らの死がいかなる意味においても「散華」ではなく、天災に出会ったとでも考える他はない、いわば「難死」であったという事実、ただそれだけであろう。その「難死」は私の胸に突き刺さる。戦後二十年のあいだ、私はその意味を問いつづけ、その問いかけの上に自分の世界をかたちづくって来たと言える。*39

「散華」が、「公の大義名分」すなわち「公状況」によって価値づけられた「有意義な死」であるのに対して、「難死」は『公状況』のためには何の役にも立っていない、ただもう死にたくない死にたくないと逃げまわっているうちに黒焦げになってしまった、いわば、虫ケラどもの死だった*40」。それは「公状況」との対比で言えば、「私状況」しかない無意味な死だった。

「公状況」と「私状況」

だが一方で、戦争の大義が嘘であったことが明確になった敗戦後において、戦時の「公状況」につながる死も無意味となった。そうした中で、「散華」を救出しようとする論理が生み出されてくる。たとえば「倫理的意味」を付与する「殉教の美学」の強調（三島由紀夫など）や、逆に戦争の大義という「公状況」を何とかして復権させようという主張（林房雄『大東亜戦争肯定論』など）だ。

いずれにせよ、敗戦を挟んで「公状況」と「私状況」の価値が逆転したと小田は見る。これに対して小田は、もちろん過去の「公状況」を蘇らせるべきだとは考えない。かといって、戦後の「私状況」優先を称揚するわけでもない。結論的に言えば、この両方のどちらが重要かではなく、その「結びつき」のあり方を問う。古い「公状況」が打ち倒された後で、新しい「公状況」を打ち立て、それと「私状況」との結びつきを考えるべきだったと小田は言う。

「私状況」優先があまりに当たり前となった現代社会からすれば、「公状況」の存在を不可欠とする小田の議論は「公状況」の再生（新たなそれ）を強調する論理として読むことができる。なぜなら「私状況」優先の弊害も小田にとっては明白だからだ。

「私状況」優先の原理は、もろ刃のやいばだった。それは、たとえば、まず、「難死」の最大責任者である天皇の戦争責任を曖昧なものとした。彼のかつての「私状況」を強調することで（天皇陛下個人は戦争に反対だったのだ、というふうに）、「公状況」と彼のつながりを不明確にした。……同じような理由で、「私状況」優先の原理は、旧指導層の戦争責任を曖昧なものとし、彼らの勢力温存を実現したのである。……さらに、「私状況」優先の原理は、一切の「公状況」に無関心の風潮をかたちづくる。「政治なんかおれの知ったことか。」ときにはそれは「公状況」への強い反対の力ともなるが、その原理自体の性格によって、徹底的な力とはなり得ないのだ……。*41

重要なのは公か私かの二者択一ではなく、「私状況」を起点にしながら、新たな「公状況」をつくり出していくことだ。両者を対等なものとして確立させるためにも、「「公状況」的なものを「私状況」にたえずくり返してくぐらせること*42」を提言して、この論文は閉じられる。

「しごと」がつくり出す「しくみ」

こうした公私の関係性の認識からすれば、「公」との関係性を欠いた「私」の論理が不十分なのは、明らかだろう。「難死の思想」はベ平連出発時点での小田の原点を示すものだが、一九七二年に出された『世直しの論理と論理』(上下巻)は、ベ平連の運動を経て形成された小田の運動論と言うべきものだ。そこでは「くらし」と「しくみ」を枠組みとした独自かつ興味深い社会認識が展開される。

「くらし」は、「いのち」・「しごと」・「あそび」によって形づくられる。「いのち」は文字どおり生命に関わることを指し、対極にそれらの直接的必要性からは切り離された「あそび」が存在する(ただし「あそび」もまた人が生きるのに不可欠の要素だ)。小田によれば、「くらし」と社会との関係をつくり出すのは「しごと」の側面だ。本来、この三要素はそれぞれ存在意義を持つのだが、「いのち」や「あそび」抜きに成り立たないはずの「くらし」において、「しごと」がその比重を増し、時に「いのち」や「あそび」を押しつぶすことすらある。それが問題だ。

なぜそうしたことが可能となるのか。「しごと」が「しくみ」（＝体制・システム）をつくり出すことにつながっているからだ。「あそび」はもとより、個人の基盤となる「いのち」すらすりつぶす戦争もまた、「しごと」の積み重ねの上に成立していると小田は述べる。

> つまり、私の言おうとしていることは、［戦争国家という］ピラミッドの土台をかたちづくっていた人びとは、そのまま、まったくふだんのくらしのままでファシズムの世界のなかに入り、戦争へ入って行ったという事実です。いったん、国家というピラミッドのしくみのなかにくみ込まれている以上は、そのしくみのもつ論理の発展からは逃れられない。すくなくとも、その論理から外に出る自分の論理をもたないかぎりは、真面目に「しごと」にはげめばはげむほど、それはしくみの進路を動くほかはないし、実は、ピラミッドの動きそのものをつくり出すのも彼らの日々の「しごと」なのです。くり返して言いますが、すべては、ふだんのくらしの延長線上にあった。*43

こうした小田の理解からすれば、「私状況」、すなわち「しごと」中心の個人の日々の「くらし」に立てこもろうとするだけでは、誤った「公状況」の展開を正すどころか食い止めることすらできない。同書において小田は「まき込まれながらまき返す」というフレーズをつくり出した。これは「しくみ」を通じて個人を動かす強大な「まき込む」力への注視、「私状況」にとどまりさえすればそれと無縁で過ごせるかのような発想への警戒を示している（もちろん、それを少しずつでも動かすことの重要性も主張している）。

つまり公か私かという二者択一ではなく、両方を重視した上での、それらの関係性を問題にするところに、鶴見・武藤とあえて対比した場合の小田の議論の特徴がある。

「ハンパク」における対立

この点は、社会運動の「有効性」をどう考えるかという見解の相違にもつながっている。一九六九年、翌年に控えた大阪の万国博覧会（万博）への対抗を意識して、「反戦のための万国博」（通称「ハンパク」）が、大阪のベ平連グループを中心に準備され、八月に大阪城公園にて開催された。五日間にわたるイベントではいくつかの問題が生じたが、それらを集約する形で最終日に大きな対立が顕在化した。その対立は、小田と鶴見の「市民運動」の捉え方の違いに根ざしていた（少なくとも小田はそう考えた）。

当面の争点は、ハンパク最終日のデモのリーダーシップをめぐってのもので、そこに参加していた日大全共闘のグループが、小田実と吉川勇一を批判した。しかし、小田にとって衝撃だったのは、その批判者の側に鶴見俊輔と高畠通敏がいたことだった。もちろん、既に見たように、鶴見と高畠は新しい運動を構想して小田を呼び寄せたベ平連の「源流」に位置する人間であり、かれらからの批判は小田を「うしろから短刀で刺された気持」にさせた。[*44] さらにその批判の論理も重大だった。

論点の一つは、運動の量と質をめぐる関係だ。鶴見や高畠はこのとき、ベ平連が大きくなりすぎたこと、「大きければ大きいほどいい」という信仰を生んでいると批判した。これに対して小田は、まず批判者が考えるほどの「量」は集まっていなかったと事実認識のズレを指摘し、「鶴見氏の言うように『ベ平連』がほんとうに『一〇〇万の動員力』を持っていたらとつくづく残念に思う」と書く。[*45]とはいえこの相違も、運動の「量的拡大」をそもそもどう評価するかという問題に根ざしている。ハンパクから四半世紀後に書かれたこの「回顧」で、小田は先の指摘に続けてこう論じる。

何章かまえの文章で、私は「数」――「ベ平連」の運動へ来る人びとの数の問題を大事だと考えると書き、そこで二つの理由をあげていた。ひとつは、「ベ平連」の運動が「ベトナム反戦」の政治運動であることだった。その言い方で何を言いたかったかと言えば、思想運動はひとりでもできるが、政治運動は「数」を必要とする運動であることだ。すくなくとも私は政治運動をそうしたものとして理解するとそこで書いたが、私にとってもっと大事なのは二番目の理由だった。私は次のように書いていた。「私にもっともぴったりするのは、私自身がおそらく他の多くの人たちと同様に強い人間ではないのだろう。ひとりでデモ行進で歩くより二人、三人で歩くほうが、やはり、心強い――そういう言い方だろう。この言い方で、私は卑下もしないし、居なおるつもりはない。私自身をふくめ市民とはもともとそうしたものなのだ。そうしたありようから出発するより以外に、市民の運動はないし、私にとっての『ベ平連』の運動もなかった。いや、もうひとつ言えば、『市民社会』もないし、民主主義もない。[*46]」

だから、そういう小田の考えからすれば、「『量から質へ』の転換」が運動の中で自明の論理になることも「理解しがたかった」。

私には疑問があった。それは、なぜ、量は必ず質に転換されなければならないのか、というおそらく根本的な疑問だった。私の答は、この疑問の出し方にすでに察知されるように「否」であり、量は量のまま残っていていいだった。いや、残っているべきだ。残っているからこそ、量は「市民」でありつづけるのだ。……〔「量から質へ」の転換を図って〕「量がたえられるかどうかをためす」ことなど論外なことだった。*47

ここには二つの争点が埋め込まれている。一つは「量」はそれ自体として重要であり、(「量」と手を切った形での)「質」の追求が目的ではないという主張は、内的動機から運動(質)を発想する鶴見俊輔の運動論への批判になっている。「数」(量)が大事だというのは、「政治」の論理だ。とはいえ、単に有効性の観点だけでなく、「内的動機」自体を維持させることにも「量」は意義を持つ。小田は自分が「強い人間でない」と強調する。逆に言えば、鶴見や高畠の「質」にこだわる運動論は、周囲の仲間が少数でも運動し続けることのできるような「強い人間」を求めることになる。「マジメ市民」が「千万人といえどもわれ行かん」と感じさせるのもこれゆえだ。

しかし、小田のこの運動認識が、先の対立軸における武藤の立場と重なるかと言えば、これも違うだろう。次のような高畠の発言に対する小田の違和感に着目しよう（実は、鶴見と高畠の微妙な違いもここには含まれている）。

……「べ平連」の運動には、少し誇張して言えば、「……《ママ》したい」とか「……《ママ》しよう」ということはあっても、「……《ママ》すべきだ」ということはなかった。いや、自らに対してはもちろん、それはあっただろう。しかし、他の誰かにむかって、おまえは「……すべきだ」ということはなかった。まさにそうであったからこそ、高畠氏の「事務局は全参加者をひきこんで自主管理にもちこみ、みずからは手をひくようにすべきだ」のことばは文字通り私にとって衝撃だった。私は大きな裂け目をそこに感じとっていた。*48

「自らに対して」ならば「～すべきだ」ということはあるが、「他の誰か」に向けてはそうは言わない。純粋な「政治」の論理であれば、現状認識や社会構造の問題点を指摘し、そこを目指して「～すべきだ」という議論になるだろう。一方、小田の考えるべ平連の運動では「～したい」・「～しよう」という言い方が基本となる。先の「量」の重視が鶴見との対立点だとすれば、「～すべきだ」と言わない姿勢に武藤との差異が表現されている。

このようなことを踏まえれば、小田のこの運動論を、鶴見と武藤の両者の綜合と見ることができるだろう。繰り返すが、この三者が絡み合って約十年続いたのがべ平連の運動だった。どれかが「正解」というよりも、三者三様の力点の置き方の違いに過ぎない。とはいえ私は小田における公私の往還論に共感を持つし、このように図式を整理すれば、鶴見における個の発想への偏り、原点としての自分自身の強調は際立つ。このように、ベ平連という「補助線」を引くことで、鶴見の個性をより明瞭に浮かび上がらせることができる。

4 吉本隆明との接点

鶴見と吉本

ところで、ベ平連内での対比は有益だとしても、見方によっては一つの運動体の中での相違に過ぎないとも言える。したがってさらにその外部に、鶴見理解を深めるための「補助線」を引いてみるのも悪くなかろう。そこで吉本隆明と並べてみたい。

吉本は一九二四年生まれ。詩人・評論家であり、一九五〇年代後半以降「新左翼」(非共産党左翼)のイデオローグの一人と目されてきた。六〇年代の学生運動全盛期には読者も多く、没後十年が経つ現在も吉本隆明関連の出版が続いている。

鶴見と吉本はそれぞれ著名であるが、両者並べて論じられることは多くない。むしろ、学生運動・「新左翼」の理論家という吉本のイメージに対して、鶴見は「市民運動」側の知識人であり、真逆の存在として描かれがちだ。確かに、すぐ後で見るとおり、対立的な面があることは否定できない。

しかしそれ以上に、実は共通性が高い。一九二〇年代前半生まれのほぼ同世代、同期を数多く戦争で失った戦中派世代である。戦時中に戦争に翼賛しながら戦後は何の反省もなく「民主化」勢力となった人々に強い不信感を抱き、それぞれ五〇年代半ばに「転向論」を発表、日本共産党の「非転向神話」を相対化することに貢献した。非共産党系文化人として六〇年安保闘争にも参加、吉本は「新左翼」である共産主義者同盟（ブント）の擁護者、鶴見は「市民運動」の「声なき声の会」の中心として、方向性は違うが共産党にも国際的権威にもおもねらない「自立」的動きを支えた。

同時代を生きた「知識人」同士、相互に敬意を持ち続けたようで、「論敵」を痛罵することで知られる吉本と最後まで友好的な関係を保ったことを、鶴見自身は証言している。[*49]

もちろん、両者の主張の隔たりは大きい。鏡のように対極の姿を映しているとすら言える。ただし、その対立は「急進的学生運動」対「穏健な市民運動」という類の表面的な相違ではなく、ある同一の枠内での志向性の違いだと考えられる。こうした吉本との対比によって、鶴見の輪郭も一層明確に描き出すことができる。

鶴見と吉本の有名な二つの対談からその対比を見ていこう。「どこに思想の根拠をおくか」（一九六七年）と「思想の流儀と原則」（一九七五年）だ。ちなみに両対談は「鶴見俊輔座談」（晶文社）の『思想とは何だろうか』の巻に収録されている。同書は、本章第一節で紹介した丸山眞男との対談を冒頭に置く一方、吉本とのやりとりを（鼎談を含め）三本まとめて並べる。「思想」をめぐって、鶴見は吉本とのこれら対談を重要視していたということだろう。この二つの対談から、吉本との対比で鶴見の運動論が浮かび上がる。

理論志向からの距離

吉本も鶴見も、互いの違いをかなり明確に認識している。共通性以上に、対立する見解を相互に確認しあう対話になっている。たとえば「思想の流儀と原則」の末尾では、鶴見と吉本とが「逆の型になっていると思うんですよ」と鶴見が述べて終わっている。*50

何が異なるのか。一つは「思想」に与える位置が正反対だ。少し長いが、正反対ぶりを確認し続ける二人のやりとりを見てみよう。

吉本　……あいまいさは残らないのだということが一つの原理としてくみ込まれていなければ、それは思想じゃない。……ぼくは思想というものは、極端に言えば、原理的にあいまいな部分が残らないように世界を包括していれば、潜在的には世界の現実的基盤をちゃんと獲得しているのだというふうに思うんですよ。思想というものは本来そういうものだ、そういうことがなければそれは思想といえないのだと思います。

鶴見　そこがわたしと違うところだ。

吉本　そうですね。いつもそれを感じています。

鶴見　わたしは思想として原理的に定立するのは、あくまでも思想の枠組みの次元のこととして考えるんです。それを現実と絡めて考えるときには、かならず適用の形態で、こういうふうにも適用できる。べつのふうにも適用できると、あいまいさが思想の条件として出てくる根拠があって、そのあいまいさは思想からどうしても排除できない。……思想が状況とかかわる場合には、どうしてもあいまいさは排除できないと考えるのです。
吉本　ぼくはそこが違うんだな。
鶴見　だからわたしは、思想を原理として定立すれば、世界をすでに獲得しているというような考えかたに立たない。
吉本　ぼくは可能だと思うんですよ。その原理が明晰さを保持しうるためには、原理のなかにたえず可変的なもの、大衆の状況をくり込んでいかなければならないという課題があって、ここで状況論が必要になってくるわけですね。範疇として固定化するわけではなくて、原理的な思想のなかへ状況の問題、あるいは大衆の問題が絶えずくり込まれていかなければならない、そうしなければ原理としての明晰さは保持できない。それをくり込むことができれば、世界は要するに獲得されているのだと思うわけです。
鶴見　そこであらゆる領域で考えかたが違ってくるんですね。[*51]

吉本にとって、思想とは世界全てを明晰に見とおすことができる「原理」である。鶴見は、吉本の「範疇構成の原理的な性格とか、きびしい定立のしかた」に「とても宗教性を感じる」と述べるが、[*52]確かに、全世界を例外なく理解すべきであるしそれが可能だという、理屈以前の情熱と志向性が吉本には感じられる。

これに対して鶴見は、第1章のプラグマティズムの説明で見たとおり、「マチガイ主義」（自分ならびに他人の意見を、常に、ある実験条件と結び合わして考える）の立場に立つ。もっとも、プラグマティズムもまた、明晰さを目指す。ただしそれは、先の対談の引用の言葉を使えば、「枠組みの次元」でのことだ。つまり概念は明晰さを目指した方が良い。[*53] しかし、その現実的適用にはあいまいさ（マチガイの可能性）が残らざるを得ない。

この「理論」信仰の有無は、当然運動論の相違にも連続する。

「自立」か「同伴」か

吉本が六〇年安保闘争以後「自立の思想」を掲げ、学生運動などに多大な影響を与えたことは知られている。その「自立」の根底には、前述のような全てを見とおす「理論」への信仰があり、その原理的な明晰さに基づくことで外からの影響（たとえば社会主義国の動向など）に惑わされない「自立」を達成することが是とされる。[*54]

こうした立場からすれば、ベ平連の運動は、ベトナム戦争の根底にある問題を認識することから始めるのではなく、そこの議論はいったん棚に上げ、ともかく「ベトナム戦争反対」の一致点（シングル・イシュー）から行動を開始している点で、「自立」を欠いた、国際的勢力争いに利用された「同伴」運動だということになる。吉本のベ平連批判は、具体的な政治判断として誤りだということよりも、ベ平連が世界認識・判断をめぐって「原理的」ではない点に向けられている。

これに対して鶴見は、「同伴」であることはあっさり認めるが、それは特定の勢力の手下ということではないし、そもそも「範疇構成」（概念）として「自立」と「同伴」は背反するとしても「状況判断」としてはそうとは限らないと述べる。[*55] ここには状況への判断には曖昧さが残らざるを得ないとする前述の前提が踏まえられている。

この「自立」か「同伴」か、という問題は二つ目の対談である「思想の流儀と原則」でも繰り返される。七〇年代半ばの武装闘争や爆弾闘争が実際に展開されつつある時代に、非暴力の「市民主義」を立場とするはずのベ平連が「原則が違うからだめですよ」となぜはっきり言わないのか、ベ平連はそういう武装闘争のグループの「プール」になっているのではないかと吉本は批判する。

これに対して鶴見は、ガンジーのように運動をゼロから再組織する力量がベ平連にはなかったとまずは受け止めつつ、しかし一方でそうした原理から選り分けるべしという運動観にはこう反論する。

> ……わたしは交叉路《クロス・ロード》ということをとても考えるんだ。あるところに来て、ここから別のところへ行く人がいてもいい。いまのポイントでこれをやるというんだったらいっしょにやりましょう、というのがわたしの考えかた。だから完全に初めから終わりまで、つまり方向、目的まで同じように限定されたやりかたでプログラムをつくらない。方法が違ったら出て、別のやつをつくりなさいと言いたい。……ガンジーのほうがもっとよくやったんじゃないかという批判は、ベ平連に対してすることができると思う。しかしいまの交叉路として思想のかたちを提出するということには、わたしはわたしとして固執したい。それは流儀として重大だと思うし、自分の書いてきたことの重みもすべてそこにかかるという感じのところですね。*56

この同伴=交叉路論は、前の章までで確認してきた、プラグマティズムに基づく「マチガイ主義」

や折衷主義の実践として展開されている。「自分の書いてきたことの重みもすべてそこにかかるという感じのところ」という最後の引用部など、鶴見思想を運動論として読むことの重要性を裏打ちしているとも読めるだろう。

そしてこの議論は、運動を「反射」のレベルで考えようとすることにつながっている。

もう一つ、わたしは政治というのを動物の政治学みたいに考える。あんまり高級なことと思わない。……あんまり観念の笠をかぶりたくない。……なるべくもっと裸の状態で離合集散をやりたいわけです。……なぜわたしが小田実にくっついてきたかというと、……小田の感じは、ある時にグーッと頭にきて粛清をするような人間じゃない、なんかのんびりした感じがある。全体が責任を負えないようなウルトラの状態になったら、逃げ出すだろうという感じがあるわけですよ。理論もへったくれもないね。これは動物的な感じ。*57

もとより、吉本も再度反論しているし鶴見も気づいてはいるが、この「動物的な反射」の論点は、個人的人間関係のレベルと運動組織のレベルとを同列に考えている点で問題がある。また、特に政治における暴力の問題は、それが日本の「新左翼」運動をその後数十年かけて自壊させたという歴史を踏まえれば、吉本の批判に説得力が感じられる。

とはいえ、ここでは吉本隆明と対比することで、鶴見俊輔の運動観が明確に浮かび上がることが重要だ。

「大衆」観

さらに、両者の対比はその「大衆」観にも表れている。

鶴見は「純粋の心情」(あるいは「ウルトラの心情」)が好きではないという。その代わり、戦争中に中年の万年二等兵で陰でぼそぼそ言っているような、そういう「あいまいな感情」を評価したいと考える。それに対して吉本は、鶴見が言う「ウルトラ」な心情を持って行動する人々、つまり戦争をやれと言われれば大虐殺までするし、戦後は労働運動・反体制運動を高揚させる、それこそが「大衆」だと対置する。だからこそ、「大衆」を「チェックできる」ものとして、知識人の明確な原理が必要で、そのために「大衆の原像」を捉えることが重要だと吉本は言う。[*58]

これに対して鶴見は「ウルトラとは別の大衆が存在するという想定をもっている」と応じる。それは先に例示したような「ぼそぼそ言っている老兵」のようなあり方だ。[*59] つまり、人々が本来持っている戦争のような「ウルトラ」に行かない要素をちゃんと拾い上げ、それを培養するような方向に可能性を見出そうとしている。

言うまでもなく、「ぼそぼそ言っている」振る舞いと日々の「反射」はつながっている。鶴見によれば「動き」、たとえば政府に反対する社会運動の根拠(基盤)ともなりうる。

ここでも、そうした「ぼそぼそ」の人々も戦争や自民党へと自然に巻き込まれているのではないかという吉本の批判は、妥当する側面も大きい。鶴見批判として鋭い指摘と言えるだろう。とはいえ、ここでは吉本と鶴見が「大衆」をめぐっても正面から向き合う形になっていることを何より確認しておきたい。

こう見てくると、吉本と鶴見は何もかも正反対という印象を持つ。しかし、重要な点で両者が共通認識に立っていることも見落としてはならない。それが先にべ平連という「補助線」を引くことで提出された「公」の論理の軽視という問題だ。

鶴見が「政治」の論理から運動を導いていないことは、先の議論から明らかだろう。吉本との対談でも、「交叉路」論に基づいて見解を部分的に異にする人々ともある程度まで一緒に歩くと主張するが、逆に言うと、その状況下で同じ場所を歩いていない人を責める理屈はここからは生じない。「さまざまの無関心」に敬意を持ち、「〜すべし」とは主張しない。一方吉本の場合、「思想を原理として定立する」ことを求めるが、この発想は究極的であるがゆえに、逆説的に現実の「政治」は無限に遠ざけられる。「どうやったら国家権力を棄揚できるか」が中心的問題にならない運動は全て「本質的」ではないのだから、「政治」の論理は事実上ほぼ無効にさせられる。

この「私」にこだわる共通性は、国家に裏切られたという戦中派の世代意識であろうか。いずれにせよ、べ平連の中での武藤一羊や小田実との対比を踏まえて見るならば、鶴見と吉本は共に、「私」の側に立つ戦後思想家として位置づけられるべき存在だと言えるだろう。

＊1 鶴見俊輔、『日常的思想の可能性』、三一三ページ
＊2 鶴見俊輔、『思い出袋』、一三六－七ページ
＊3 鶴見俊輔・丸山真男、「普遍的原理の立場」、一〇二ページ
＊4 「普遍的原理の立場」、八九－九一ページ
＊5 「普遍的原理の立場」、一〇四ページ
＊6 「普遍的原理の立場」、一〇四ページ

*7 「普遍的原理の立場」、一〇七−八ページ

*8 『日常的思想の可能性』、三一三ページ

*9 鶴見俊輔・安丸良夫、「日本の思想と民衆思想」、二二九ページ

*10 天野正子・安田常雄編、『戦後「啓蒙」思想の遺したもの』、二〇七ページ

*11 「十五年戦争」とは一九三一年の満州事変から四五年の敗戦までをひとつながりの戦争として捉える見方で、鶴見俊輔が最初に用いたとされる（鶴見俊輔、『戦時期日本の精神史』、一二一−一二三ページ）。

*12 同テキストは口語のものも含め複数の「ヴァリアント」が存在するが、その背景には占領下の検閲問題がある（江藤淳、「『戦艦大和ノ最期』初出の問題」）。鶴見は、江藤の「無条件降伏論争」については言及しても、やはり占領下検閲問題には触れていないようだ。

*13 『日常的思想の可能性』、一九ページ

*14 松井隆志、「戦争反対の根拠」、一四〇ページ

*15 『日常的思想の可能性』、二二ページ

*16 『日常的思想の可能性』、一一ページ

*17 『日常的思想の可能性』、二五ページ

*18 『日常的思想の可能性』、一八六ページ

*19 第1章の注46参照。

*20 小田実、『「べ平連」・回顧録でない回顧』、三四−三五ページ

*21 小田実、『中流の復興』、一三八ページ

*22 小中陽太郎、『市民たちの青春』

*23 『「べ平連」・回顧録でない回顧』、二四七ページ

*24 日高六郎編、『一九六〇年五月一九日』、七六ページ

*25 声なき声の会編、『またデモであおう』、一二五ページ。ただしこの日のデモに鶴見は参加していない（小林トミ、『「声なき声」をきけ』、六九ページ）。

*26 松井隆志、「一九六〇年代と「べ平連」」

*27 武藤一羊、「花崎皋平さんとの交流を軸に運動史をふりかえる」、一三九ページ

*28 『べ平連ニュース』一九七四年三月一日号、四ページ

*29 鶴見俊輔、『いくつもの鏡』、三四ページ

*30 『べ平連ニュース』一九七四年三月一日号、三ページ

*31 鶴見俊輔、「平和の思想」、一五九−一六〇ページ

*32 「平和の思想」、一五四ページ

*33 「平和の思想」、一五五ページ

*34 『日常的思想の可能性』、二九〇ページ

*35 鶴見俊輔、「講演　戦時から考える」、二四九ページ

*36 「講演　戦時から考える」、二五五ページ

*37 『思い出袋』、六四ページ

*38 『思い出袋』、八五ページ

*39 小田実、「「難死」の思想」、五ページ

＊40 「「難死」の思想」、四ページ
＊41 「「難死」の思想」、二五ページ
＊42 「「難死」の思想」、三九ページ
＊43 小田実、『世直しの倫理と論理　上』、一六六ページ
＊44 小中陽太郎、『私のなかのベトナム戦争』、一五一ページ
＊45 『「べ平連」・回顧録でない回顧』、五三一ページ
＊46 『「べ平連」・回顧録でない回顧』、五三二－五三三ページ
＊47 『「べ平連」・回顧録でない回顧』、五三三ページ
＊48 『「べ平連」・回顧録でない回顧』、五三〇ページ
＊49 鶴見俊輔・上野千鶴子・小熊英二、『戦争が遺したもの』、三〇八ページ
＊50 鶴見俊輔・吉本隆明、「思想の流儀と原則」、二二二ページ
＊51 鶴見俊輔・吉本隆明、「どこに思想の根拠をおくか」、一五三－一五四ページ
＊52 「どこに思想の根拠をおくか」、一六四ページ
＊53 この点での吉本批判を鶴見は書いている（鶴見俊輔、「吉本隆明」）。
＊54 松井隆志、「「自立の思想」とは何だったのか」参照。
＊55 「どこに思想の根拠をおくか」、一五六ページ
＊56 「思想の流儀と原則」、一九七ページ
＊57 「思想の流儀と原則」、一九七－一九八ページ
＊58 「どこに思想の根拠をおくか」、一五九－一六一ページ
＊59 「どこに思想の根拠をおくか」、一六一ページ

第4章

流されながら社会に関わる

本書は、鶴見の社会運動論を、
「思想史」や「運動史」として歴史の中に納めてしまうのではなく、
現在と切り結ぶことのできる思想として提示することをめざす。
そのために、本章では、鶴見の提出した議論をもとに
既存の社会運動をめぐる議論と絡めて考察してみたい。
そこから浮かび上がってくるのは、従来の社会運動論とは大きく異なる、
鶴見の運動論の持つ新しさである。
それを本書では「流されながら・抵抗する」というタイトルにしたのだが、
それはいったいどのようなものなのか、解き明かしていきたい。

1 そもそも社会運動とは何か

ありふれた現象としての社会運動

これまで、社会運動という切り口から鶴見俊輔の思想に迫ってきた。それらを踏まえ、この章では、そうした鶴見の思想がどのように現代社会と切り結びうるのか考えたい。その際、社会運動をやはり糸口とする。これまで大した説明もなく「社会運動」の語を用いてきたが、これに分け入ることから始めたい。

まず社会運動のイメージから考える。現代日本において、特に「若者」（主に二〇代まで、ただし文脈によっては四〇歳辺りまで含む）にとって、社会運動は自分と関係あるものとは思われていない。「かつてそういうものがあったらしいが、今では単に古くさくて無益なもの」と思い込んでいる場合が多い。しかも「かつてあった」と言っても、漠然とそう思っているだけで、一九六〇年代の学生運動を詳しく知っているという者も多くない、というのが大学での学生たちの反応から受ける印象だ。にもかかわらず、社会運動（特にデモ）と言えば、「暴力的なもの」という印象だけがなぜか再生産されている。だから、ベ平連などの「市民運動」の事例を学生に紹介すると、想像していた暴力的イメージからかけ離れていて、かれらは驚く。

そもそもデモや集会などの社会運動の取り組みのほとんどが現代日本では「合法」であることを若者は知らない。デモは「表現の自由」の一つであり、「表現」の中でも特に擁護されるべき政治的表現の自由という重要な権利だ。にもかかわらず少なからぬ若者は、デモや社会運動と聞くだけで不法行為だと想定する。要するに、社会に異議申し立てすること自体が「やばい人たちによるやばい活動」という感覚なのだろう。

だがそれは歪んだ認識だ。たとえばＳＮＳの「世論」に政府が反応するのを見て、若者は「（実際の《オフライン》）デモはやはり古い」などと思ったりするようだが、路上から抗議の声を上げることは世界中で行われ続けている。近年、社会運動自体の注目度は上がっているとすら言える。

もちろん社会運動はデモばかりではない。後述の社会運動の「定義」で見るとおり、既存の「流れ」とは別の方向を目指すべく取り組み始めるとき、それは既に社会運動の裾野に足を踏み入れている。デモは、社会運動の表出の一つに過ぎない。デモにまで至らずとも、社会問題をテーマにした学習会や議論、他の人に呼びかけをしてみるなども、これら全てが社会運動の一端をなす。

したがって、社会運動は日常生活そのものとは言えないとはいえ、そこから全く隔絶したものではない。むしろより良く生きるための一つの手段として、本来身近なものであるべきだし、実際あちこちで生じているものだ。そのことをまず確認しておきたい。

社会運動の定義

さて、社会運動とはそもそも何なのだろうか。社会学における社会運動研究の領域では、以下のような定義がされてきた。重要なポイントを示していると考えられるので、ここから議論を進めてみよう。

社会運動とは公的な状況の一部ないしは全体を変革しようとする非制度的な組織的活動である。[*1]

社会運動とは、①複数の人びとが集合的に、②社会のある側面を変革するために、③組織的に取り組み、その結果④敵手・競合者と多様な社会的相互作用を展開する非制度的な手段をも用いる行為である。[*2]

堅苦しい言い回しになっていてイメージがわきにくいが、難しいことを言っているわけではない。要点は次の三つ。

第一に、社会運動は社会を何かしら変えることに関わる目標を掲げる。ここには「抵抗」も含まれる。つまり、社会をある方向に変えようという「機運」に対して、そうはさせまいと抵抗することも、逆向きの「変革」と言える。いずれにせよ社会の変更をめぐる争点が重要だ。

また「社会」の内実も様々だ。国際社会（核兵器廃絶や債務解消など）から近隣関係（建設反対運動など）まで、規模の大小も重大性もピンキリだ。とはいえ、その全てが「社会を変える」という目標とは言いうる。一方、変えるべく努力する対象は社会のあり方であって、個人的（私的）問題ではない。自分の家族や友人の人間関係トラブルを解消するために努力したり、経営者が自分の企業の経営戦略を変更するようなことは、それだけでは通常、社会運動とは呼ばない。

第二に、社会運動は複数の人間によって担われる。逆に言うと、一人だけで行っても（定義上は）社会運動とはならない。もちろん、どれほど集団的に見える活動も、それを実際に行っているのは個々の人間であることは前提だ。また、いずれ社会運動へと至るものであっても、最初期の活動はごく少数の、場合によってはたった一人の勇気ある行動から始まる場合もある。しかし、ある人が高邁な理想を抱きそれを一人で実践しただけならば、それは個人の偉業かもしれないが、ここでは社会運動とは区別した方がよいだろう。

なぜ一人だけの行為を社会運動の定義から除外するのか。行うのが一人で良いなら始めるのもやめるのも自分の決意次第だ。しかし他人と約束したり、信頼関係の中で何かに取り組む場合、突然始まったり、急にやめたりすることはそれほど簡単ではない。まして、持続的・安定的に活動を営もうとすれば、配慮すべき事項や条件は格段に増える。逆に、もし社会運動を個人の営みと見るならば、考察も評価も個人の内面をめぐるものに帰着しがちとなろう。つまり、社会運動を複数人の協働として定義することで、一人だけの行為よりも複雑な意思決定や実行過程が想定されることになる。そのためこの定義問題は、単に社会運動という対象の範囲を定めるだけでなく、社会運動という営みの性格をどう見るかという問題に直結する。

第三に、聞き慣れない言葉として「非制度的」という要素が重要となる。まず、「制度的」というのは、あらかじめ定められたルールの範囲内で行為が選択され、一定の基準で勝敗が決するような状態を指す。社会運動が「非制度的」であるということは、そうした制度的空間にはおさまりきらないということを意味する。

「制度的」なものの例として、わかりやすいのは選挙運動だろう。選挙において勝敗自体は未知数だが、何をやって良いか悪いかは既に定められており、どちらが勝つにせよルールに則って競われ、明確に結果が出る。この側面からすれば選挙は制度化された試合《ゲーム》である。

もちろん、社会運動の空間もルール無用ではなく、たとえば合法・非合法の境界線は存在する。しかし手段の選択肢として必ずしもそれに縛られない。たとえば非暴力直接行動の戦術においては、逮捕も辞さずあえて法を犯すこともあり得る。

また結果においても、掲げた目標の成否(たとえば法案阻止とか建設反対など)はある程度容易に判別可能な場合もあるが、「目標は達成できなかったが参加者・協力者は増えた」とか「記憶として残ることで後の歴史を変えた」ということもあり得る。前に触れた六〇年安保闘争もまさにその好例で、安保条約改定反対という目標は達成できなかったが、大闘争が生じたことによってその後の運動の参照点になり、自民党政権の改憲プロセスにも打撃を与えるなど、以降の歴史に多大な影響を及ぼした。このように社会運動における勝敗の評価は単純には決められない。

多くの国で社会運動は制度内に取り込まれ、ストライキもデモも、一定の条件を満たせば合法的に行える場合は珍しくない。日本も(少なくとも法的建前としては)そうした「民主主義国家」に含まれる。しかし、それでも社会運動は多様な手段を採りうるし、その帰結も様々に解釈できる。その意味で社会運動は「制度」の枠内には収まり得ない。これが「非制度的」という定義の含意である。

なお、日本の戦後史で見れば、「社会運動」という語はそれほど一般性を持って使われてこなかった。具体的には、「〇〇闘争」や「〇〇叛乱」あるいは「〇〇運動」といった用語が使われてきた。本書が使う社会運動の語は、これらの対象をひとまとめに括る用語である。これらを「社会運動」として一括することで、見失うものももちろんあるが、見えてくるものも多いだろうと考えている。

マクロな説明：統治の失敗として

社会運動が前記のように定義されるとして、ではなぜ社会運動は起こるのだろうか。これまで多くの仮説が出されてきたが、社会運動を「社会を変えようと人々が取り組む行為」とするならば、社会運動の「原因」を、社会に求める説明と、運動に取り組む人々の側に求める説明に大別できるだろう。前者をマクロな根拠、後者をミクロな根拠と呼ぼう。

まずマクロな根拠について考える。先に述べたように、社会運動は社会を変革することを目的とするのだから、その変革の必要性がどこから発生するのかを考える必要がある。日本において、「社会運動はもう古い」と言われることが多いが、変革を求めること自体が「古い」と判断されているがゆえの発言に感じられることも多い。つまり、多少の手直しは必要かもしれないが、「非制度的」な努力をしてまでわざわざ変えるまでもない（そこまでしなくても適切に修正されるはず）、基本的に良い社会だと受け取られているようだ。

しかし、ユートピアにたどり着いた社会はいまだ存在しない。世界中至る所で社会運動が展開されるのも、問題を抱えていない社会などあり得ないことの現れである。日本社会が大きな問題を抱えていないように思えるのは、そのことに気づいていないだけだと私には見える。

社会を統治する側の見方をするならば、社会運動の顕在化は、既存の社会の仕組みでは不十分であることを示す兆候である。つまりそれまでの社会の「失敗」を意味する。たとえ独裁政治であっても何らかのフィードバック装置は備えているはずだが、「非制度的」行為である社会運動が生じているとすれば、その自浄装置が十全に機能していない、ということになる。しかし、そもそも「失敗」のない社会などない。だからこそ、社会運動の発生は現代の世界において普遍的である。

社会秩序の亀裂は暴動などでも表現されるが、暴動は人々の情動の爆発で、一過性の出来事だと想定される（実態は別として）。すなわち「暴動の日常化」は考えにくい。それに対し社会運動は、持続的な営みであり、どれほど部分的であろうと何らかの代替案（「単なる反対表明」も含め）を提供するもので、「失敗」の後のもう一つの社会《オルタナティブな》の「始まり」につながりうる。

繰り返しになるが、社会運動とは社会統治の「失敗」を意味するものだが、その「失敗」はあらかじめ発生が織り込み済みの現象でもある。「いつ・どこで」は予言できないとしても、社会運動の発生自体は十分「想定内」の出来事だ。こうした社会運動の捉え方は、人類の最終決戦としての共産主義革命やそこに至る階級闘争のみを「真の社会運動」とみなす立場とは相容れない。むしろ、プラグマティズムの「マチガイ主義」と親和的な世界観であるだろう。

とはいえ、このマクロな説明は、社会構造上の問題が社会運動を引き起こすという理論であり、マルクス主義をはじめ、どちらかというと古典的な運動論によって語られてきた。しかし、二〇世紀における革命の不発や「豊かな社会」における社会運動の予期せぬ発生の経験は、社会構造の矛盾と社会運動の発生が直結するものではないことを明らかにした。単純に言えば、社会が酷いからといって、社会運動が隆盛するとは限らないのだ。ここに、社会運動を行う人々の内面に迫る必要性も生じる。

ミクロな説明：内面の追求として

社会運動は社会変革に関わる目標を掲げる、と定義の一番目に述べたが、社会運動参加者から見れば、ほとんどの場合それだけでは不十分だ。誰か他の人ではなく、この自分がそれに参加することへの理由がなければならない。

この「理由」は社会変革に向かう動機の強さのみに還元されるわけではない。目標への賛同は当然大きな理由であるが、たとえば「あの人たちと一緒に活動するのは楽しい」とか「時間的余裕ができて何かに取り組みたくなった」といった動機も十分考えられる。これを「集団目標」（運動全体の目標）に対し「個人目標」と呼ぶことにしよう。

個人目標の存在をくみ込んで捉えると、社会構造の矛盾だけでは社会運動が生じないことも説明しやすくなる。

社会に問題があることにそもそも気づかないということももちろんあろうが、仮にそれを認識したところで「放っておいても解消される」とか「誰かが解決してくれる」と思う場合は、「コスト」をかけて自分がそれに取り組もうという気にはならない。

「他の誰かがやってくれるだろう」と考えて社会運動に参加しないという問題を、社会運動論では「フリーライダー（ただ乗り）問題」と呼ぶ[*3]。社会運動への参加が「集団目標」実現に対する「コスト／ベネフィット」、すなわち損得勘定だけで成立するとすれば、ほとんどの社会運動は少数の人間で発生したとしても、あっという間に消えていくことになるだろう。

しかし既に知人がその運動に関わっていてそれを手伝うつもりで参加したり、見知らぬ人であっても一生懸命取り組んでいるその姿に心を打たれて手を差し伸べようとその運動に協力する事態はしばしば観察される。そういう動機から運動に参加する人は、「コスト」計算とはまた別の利他的衝動によって動かされている言うこともできるし、内面の共感意識を満足させるという意味では「自己満足」のために参加したとも言える。そしてもっとあからさまな「自己満足」の例として、「暇だから手伝った」とか「友だちが欲しくて集会に行ってみた」とか「ストレス発散のためにデモに加わってみた」というのを加えることもできる。

要するに、社会運動が社会変革を目指すものとして生起し維持されるとしても、それに参加する個々人のレベルでは、その人なりの内面の「満足」を求めているのだと想定することができる。そして社会運動をこのような二重性を持った現象として捉えることで、その複雑な評価軸も整理することが可能だ。

社会運動のこの二重性は、ある社会運動がその集団目標達成に失敗しても（実際、成功は少ない）、しばしば「失敗」とは判断・総括されない理由を説明してくれる。たとえばある法案の成立阻止を運動が実現できないことは頻繁にある。それは明らかに失敗であり、運動にとって望ましくない結果であることも確かだ。しかし、その法案反対運動が存在したことによって世論喚起に成功し、運動体が強化されることも想定できる。さらにそうした運動に真剣に取り組む個人が、結果には残念な気持ちを抱きつつ、運動の過程で別の集団や個人と出会い、見知らぬ人に励まされ、自己の多くの資源を投入することで、いわば運動を生きることの喜びを覚えることがあっても不思議ではない。また、前述の六〇年安保闘争のように、生じた現象が大きければそれが間接的な形で「体制」に影響も残すし、それ自体が次の時代の資産ともなる（もちろん桎梏・負債になる場合もある）。

これらは、社会運動をその目標（集団目標）から演繹させるだけでは見えてこない。個々人の営みに即して社会運動を位置づけることで、初めて観察可能となる地平だろう。

では、「集団目標／個人目標」という形で社会運動が二重性を不可欠に持つとして、両者の結節点にあるものは何か。言い方を変えれば、日常の中で様々な欲望を抱く個人が、抽象的で集合的な社会運動という営みに関わるとすれば、その鍵となる要素は何か。

それは共感、すなわち人間がつながろうとすること自体に見い出せると筆者は考える。

自分の生活と直接関係ないことであっても、たとえば、戦争で殺される人々を悲しみ、それを許されないことだと思う気持ち、あるいは、よりよい社会を実現するためにこの法律を重要だと考える判断、これらは共感の結果と言える（他者への想像力と言っても良い）。さらに、集団目標に対してはそれほどの賛同もない人が、既にそこに参加している人の努力する様子に共感して、協力したり参加者になったりすることもしばしばある。友人に誘われて関わっているうちに自分の方が深入りする、というのは、社会運動に限らず様々な人間関係でも普通に見られるだろう。これも個人間での共感の結果だ。

つまり、ミクロレベルで運動参加を見る限り、運動に近づく個人の「心」を動かすことなしには、社会運動は成立しない。この共感の論点は、社会運動を「成果」だけで考えようとするとき見落とされがちなものだろう。

2　鶴見俊輔の社会運動論

権力への抵抗の必要性

本章の主題は鶴見俊輔における社会運動の捉え方を通じて、鶴見の現代的意義を論じることにある。まずは、これまでの章で確認してきた鶴見の議論を、前述の社会運動のモデルにあてはめながら再検討したい。

まず、「マクロな説明」とした部分について取り上げたい。この点を雄弁に語っているのが、鶴見のアナキズム論だろう。既に引用したように、一九七〇年の「方法としてのアナキズム」において鶴見は、「権力による強制のない相互扶助の社会をつくろうという理論による運動は、多くはみじかい期間にくずれてしまった」とアナキズムの歴史を見る。[*4] ここには、社会を動かす要素が、正しい理論や善意などといったものではないという認識が表されている。にもかかわらず、アナキズムの思想は重要である。それは新たな社会をつくることではなく、既にある社会に抵抗するために必要となる。

だが大規模に成功したことがないとしても、現代のように国家が強大になって、政府の統制力が人間の生活のすみずみにまで及んで来ている時には、国家が人間の生活にたちいってくるのに対してたたかう力を準備しなくてはならない。その力をつくる思想として、アナキズムは、存在理由をもつ。[*5]

こうした抵抗の意義の位置づけは、社会運動の発生を普遍的と見るような捉え方と対応する。社会運動を、ある理想社会を積極的に実現するための営みと捉えるならば、その理想を共有する人々の範囲内でしか社会運動は存在意義を持たないことになる。理想は一つではないため複数のイデオロギー集団が正当性を争うことになる一方で、それらと無縁の（あるいは関係したくない）人々は、社会運動自体と縁を持たない状態になるだろう。

しかし、社会自体が必然的に「失敗」を生み出し、否応なくそれに対する抵抗が必要になると考える場合、その前提からすれば、社会運動の必要性から逃れられる人はいなくなる。正確に言えば、何も知ろうとしないか知った上で無視を決め込む場合や、発生する「失敗」で被害を被らない者たちならば無関係でいられるかもしれない。しかしそうでない大多数の人々は、社会運動の当事者にならざるを得ない。

鶴見のアナキズム論は、こうしたマクロな世界観と重なっている。これは共産主義運動には接続しにくいが、これまで述べてきたような社会運動観とは親和的と言える。

そもそも、この「抵抗の社会運動」観はプラグマティズムとも連続している。プラグマティズムは、絶対的な理想像に社会を近づけようとは発想しない。むしろ社会の中に既にある理想の姿を見出し、試行や実験を繰り返しながらそれに漸近しようとするだろう。近年、プラグマティズム再考の文脈で鶴見俊輔に改めて光が当てられることが少なくないが、社会運動の側面に十分配慮された議論は残念ながら多くない。

「市民運動」との相性

鶴見の議論と社会運動との親和性は、鶴見が一九六〇年以降にコミットした運動が「市民運動」だったという点にもつながっている。第1章で見たとおり、鶴見は六〇年安保闘争で誕生した「声なき声の会」に深く関わり、特にその初期には運動の方向性を主導した。

前にも引用したが、会の機関誌「声なき声のたより」の創刊号に掲載された「市民集会の提案」は、「(1) 無党無派の集会をつくろう」から始まる。これは政党（社会党・共産党）や党派（ブントなど）から独立した集団をつくろうということであり、四点の提案は全て既存の党・党派の弊害を見据え、オルタナティブな運動主体を呼びかけたものと読むことができる。もちろん、鶴見の政治情勢判断として、党・党派に吸収されない存在が重要だったということはあるだろう。しかし原理論のレベルで見ても、二点目の提案に、鶴見のプラグマティズム的運動論が良く表現されている。

(2) 選言命題（あれかこれかについての意見の保留）を大切にする政治運動をすすめよう。昭和時代をつらぬく戦争の責任者たちに、五月十九日の強制採決を機会として退いてもらうという判断については、明瞭な区切りをつけよう。その他の点では、あれかこれかきめかねるという思想の形を大切にしてゆくようにしたい。断言的でない考え方をおくれたものとする、今までの進歩主義の偏見を精算しよう。科学的・実証的に考えるとすれば、私たちの判断の中心には、終りまで何かの形での選言命題がのこる。あらゆる選言命題を根だやしにするという考え方は実証的でも科学的でもない。*6

選言命題、すなわち「PまたはQ」という選択の多様性を、無理にまとめ上げないということだ。安保条約承認の強行採決に象徴される戦争反対や政治家の未決の戦争責任、独裁の危機の点でのみ一致する「シングル・イシュー」（この時代にその名称はまだ広まっていないが）の運動として提案されている。

社会運動が単一の理論を信奉する「主義者」たちの営みでしかないのであれば、細部までの判断の一致は、その理論の妥当性を体現するものとして歓迎されるはずだ。しかし、社会の「失敗」に対する抵抗としての社会運動という見方からすれば、その運動の根拠は理想の一致にあるのではない。もちろん、「シングル・イシュー」としての目標の共有はある。だがそれは、どちらかと言えば消極的な、強いられた一致だ。

なぜ社会運動が必要とされるのか、どのような社会運動があるべきなのか、という点で、鶴見の社会運動観は「市民運動」と結びつく十分な理由があったと言える。

運動を支える「私的な根」

しかし、先にも述べたとおり、社会の中に運動が発生する根拠があったとしても、その社会運動に、自分が参加し、しかも継続的に関わり続けるためには、個人レベルのミクロな理由が必要となる。「抵抗」のためやむを得ず関わらざるを得なくなるというのは、抽象レベルの説明に過ぎない。鶴見俊輔に即した場合、具体的には、戦争体験の重さがその運動参加の基盤をなしていた。

序章で引用したように、鶴見自身は自らを「進歩思想」などと正反対の「虚無主義」に位置づけていた。晩年のそうした自己規定には多分に誇張が混じっているとしても、鶴見が積極的な理想を求めて活動していたとは言えないことは、これまで見てきたとおりだ。そうであれば、内面に引きこもり、社会運動と無縁の人生も可能性としてはあり得た。それを許さなかったのが、戦争体験であり、日本を次なる戦争に踏み込ませないという願いだろう。鶴見は、「戦時」は自らの「メタメソッド」であると言う。

……戦時から考えるということは、私にとっては昔のことではなく、日常毎日をそこから見ているから自然のことなので、そのように感じているわけです。これは学問ではない。／ただ私がいくらか学問上の仕事をするとして、私の学問上の方法の前提、つまり方法を支えるもの、メタメソッドです。そのように不合理なメタメソッドによって学問は支えられる。[*7]

とはいえ、仮に戦争についての「思い」があるからといって、それが直線的に社会運動へと接続されるわけでもない。ここで重要になるのが第2章で紹介した「反射」だ。既に触れたように、戦時下の鶴見は、内面では戦争に反対し、そのことをごく限られた人に対して口にすることはあったとしても、それ以外のことは「指一本あがらなかった」[*8]。そうした「思っていても行動できない」という状況を打破するのが、「反射」の育成である。

また、これも前章で見たとおり、「反射」に連なる具体的実践の一例が、「愚俗の信」やその「呪文」であった。改めて鶴見の言葉で重ねるならば、「思想の私的な根」を根拠にするということだ。

もとより、「愚俗の信」そのものは分析や説明に役立つものではないから、たとえば情勢に対する「代案」を提出することはできない。[*9]だが、「愚俗の信」は出発点になるし、誰であってもそこから始める必要がある。

鶴見は社会構造の必然性であるとか、情勢判断の必要性から、人が社会運動を担うことになるとは考えない。仮にそれで生じることがあっても、長続きするものとなる（「あてにすることができる」）とは思えない。「私的な根」を下ろしていることが前提とされる。前章で確認したような、ベ平連解散集会における「個人的」なことしか語らないスタンスも、こうした社会運動観に根ざしている。ただし、「私的な根」の強調は、社会運動の起点が自己の内側にのみあるかのように受け取られかねない。「愚俗」だとしても、何らかの「信」を持っていることが社会運動参加の前提にあるという話になれば、多くの人は「自分には関係ない」ということになるだろう。だが、鶴見においても運動参加は純粋に自己内発的なものでもなかった。

これも第1章で見たとおり、六〇年安保闘争にはもともと関心を持って関わっていたとはいえ、鶴見自身のコミットメントは意外にもやや「後追い」であった。にもかかわらず、鶴見は当時勤務していた東工大の助教授を辞職するというインパクトのある行動に出る。その引き金を引いたのは、鶴見が敬愛する竹内好による東京都立大教授の辞職だったと思われる。

ここに見られるのは、熟慮の上での政治的判断でもなければ、「愚俗の信」ですらない、直感的とも言うべき「同志」としての連帯行動であろう。鶴見の社会運動への関わりには、これまで見てきたようなプラグマティズムやアナキズム、あるいは戦争体験に基づく歴史的判断が折り込まれているが、それにとどまらない要素もある。心情が突き動かす運動参加だ。

鶴見は、後藤新平以来の政治家の家系出自でもあり、その意味での政治的プラグマティズムも無縁でないことは、ベ平連出発時において「代表」として小田実を推しながら、自らの名前は出さないという「策謀」にも見ることができる。だが、デモなどにおいて「運動の効果」を云々するような主張を鶴見は退ける。

一九六七年のベ平連関係者の座談会において、「デモするなら一〇〇万人ぐらい呼ばなくちゃ意味がないんであって、三〇〇人、四〇〇人歩いたって仕様がない。また、やったところで何になるかという気持ちとか、みんな根本的な疑問は持っているだろう」という小田実の問いかけに対して、鶴見は次のように述べる。

大体ね、その種の意見の、プラグマティズムというのが実によくないと思うねぇ。大体、効果があるかどうか、などというのは二の次なんだ。戦争中に戦争反対を叫んで逮捕されたら、逮捕されるのは馬鹿ばかしい、というのがよく出たけれどそんなことないですよ、一人で銀座なんかにつっ立って、戦争反対とどなってつかまる、そのことはそれで意味があったんだ。そういう問題だな。効果っていうのは二義的なものですよ。何が正しいかということに対して自分はそれに賭けるかどうかということです。……いまの効果をねらうというのではなく、まず、まっすぐにハッキリ言ってみよう。自信をもってね。そこんところが重大だと思うしね。……第一の問題は効果があるからということじゃない。効果はね、常に権力もっている方が効果ありますよ。効果のことを問題にすると、結局権力についていくということでね、政治とか倫理とか、なんていうか価値判断しないということになっちゃうんだ。[*10]

ここには前章で見たような、同じ「市民」であっても、鶴見俊輔式の「マジメ市民」と小田の「インチキ市民」の発想の違いがある。

とはいえ、ここでは鶴見の動機にこだわってみよう。「効果」にこだわらないとすれば、鶴見は何のために運動に加わるのか。一つは、これも先に見たとおり、自己の「反射」を訓練するためである。もう一つが心情的加担だ。この加担対象は、必ずしも目の前の具体的個人である必要はない。たとえば信仰に基づく兵役拒否などは、神への想いがその行為選択の足場を支える。

小熊英二は、鶴見が「一刻者」に好評価を与えがちだと指摘している。[*11]「一刻者」とは、国語辞書的には「片意地な人」ということだが、単に頑固な人間に肩入れするというより、そこに民衆の智恵につながるようなその人なりの原理があり、それを固持する姿に、国家が定めた悪法や、社会における同調主義に流されない可能性を見ている。

鶴見の思想をマクロ／ミクロの両面からの社会運動論に即して整理すれば、このようにまとめることができるだろう。

3 押し流されながらの主体性

「思想」の捉え方

　これまでまとめてきた鶴見の社会運動についての議論は、既存の社会運動イメージから見ると新鮮な側面があるのではないか。つまり、自発的・内発的で積極的に理想の社会をつくり出すという類いの運動論ではない。どちらかといえば、社会の流れやその圧力に対しては受け身な印象すら与える。にもかかわらず、べ平連の仕掛け人であったことも含め、少なくとも一九七〇年頃までの鶴見は、活字だけでなく社会運動の領域からも社会に関わり続けた。

　確かに、序章で紹介したように、晩年に近づく鶴見自身がある時代の自分の発言を「白塗りの正義」と考えたように、当時からある種嫌々の参加であった可能性はある。だが、だからと言って、その期間の鶴見の主張が、内容空疎な建前だったとは言えないだろう。むしろ、嫌々でありながら運動に関わらざるを得ない、そうしたことが可能な運動との関わり方にこそ本書は可能性を見たい。この点を考えるのには、そもそも鶴見がどのような人間観を持っていたのかが鍵になる。

　鶴見は「思想」を「信念と態度の複合」として捉える。信念は価値判断も含めた考えの中身を指す。それに対して「態度」は、「その信念を法王の前でも屈せずに言うことができるか」どうかということに関わる。[*12] つまり、単に何かを言った、考えたということだけでなく、それにどこまでこだわり、どのように生かそうとできているかということとして「思想」を捉える。これは「考えは行為の一段階なり」とするプラグマティズムの適用と言える。

また、別の所では、「人間の思想」は「うしろからつかまれる」ということを述べている（ただし、ここでの「思想」は、どちらかというと先に述べた「信念」の含意に近い）。


人間の思想というのは大変弱いものでね、思想で一つにくくったらあぶないと思うんです。抽象的な理論とか綱領でくくったりしたらいけないのでね。人間はうしろからつかまれることが多いんですよ。思想というのは前に向いててね、自分が見えるからだの前半部しか見えないけれど、人間大きな変り方をする時は、うしろから掴まれたということが多いわけですよね、神の手か自分の無意識かも知れないが。だから、自分のよくわからないところで試みをしていってね、それが思想の起動となる。思想と不思想の交流を断ってはいけない、という感じですね。[*13]

これまでの説明とのつながりで言えば、思想（信念）は弱いから態度によって支えることが必要だ、ということ、また「反射」の訓練など、「不思想」の領域における試みを思想へと環流する回路の重要性について、この引用は指摘している。

「人間はうしろからつかまれる」という言葉は、幼児期に形成された精神の「ラティス」（枠）の拘束力の強さの指摘と重なっている。

くりかえし「すじをひきなおす」というコースを提起したい。どんなに苦しくともすげかえをしないために、常に「すじをひきなおす」のである。学校には卒業があるが、思想の主な要素は回帰的な性格をもっているから卒業できない。自分の中にすえられたラティスを常に考え、それが自分の中でどう動いているかを常に新しく計算することだ。すでに新人になっているという妄想を抱いてはいけない。精神の慣用語から亡命することをくわだててはいけない。自分の思想が外国の何かのひきうつしであり得るということと闘わねばならない。[*14]

後から学んだ抽象的な理論などよりも、習慣に溶け込む形で幼児期に形成された「ラティス」の方が強力に作用すると鶴見は考える。そうした「不思想」の部分の力によって、「人間はうしろからつかまれる」。しかしだからといって、鶴見は人間が変化できないものだとは考えない。新たな思想を手に入れるために、「反射」を訓練し、習慣から変えていくのは一つの方法だろう。だが全く新しい習慣を身につけるのも容易ではない。そうであれば、これまでの生活・習慣＝「不思想」とのつながりを意識した「すじをひきなおす」営みが重要となる。

もがきのベクトル

こうした鶴見の思想の捉え方は、必然的に、知識の多寡や理論の完成度の高さなどといった基準とは異なる評価軸をもたらす。思想を「信念と態度の複合」だとするならば、それは「知識人」の専有物ではなく、生きている誰しもが持つものだろう。そして、矛盾の少なさや材料の多さを競うような静止した作品としてではなく、どこからどこに向かうかという「動き」自体が、思想の評価軸となる。

どうも明治以後の日本の用語例では、「思想」という言葉は、ブロック建築のように、きちんとつみあげられた観念の建物を言うらしく、まとまった一定の形が要求される。はじめにおわりまでを考えぬいた上でつくりあげられた観念の体系を言うものらしい。だから、ここでは、歩き出して途中で方向をかえるというのは、思想の名にあたいしない。……私は、こういう「思想」の通念に自分をあわせたくない。人間は、うまれたくてうまれてきたものではないし、うまれてからもすぐに自分がうまれたことの意味を考えるものではない。／うまれてからかなりたって、すでに相当の道のりを歩いてしまってから、自分の歩き方について問い、自分の歩いてゆく方角について問うようになる。／それまでは、惰性により、習慣によって歩いてきたわけだ。／そこで当然に、思想は、習性の変化として起こる。

……

思想は、習慣変化であると、私も思う。ほとんどの場合に、人間のもつ思想は、はじめにロゴスがあって、それが思想の全体をつらぬくというふうなものではありにくい。ほとんどの場合に、思想は、行路の途中で気づかれた思想である。*15

「すでに相当の道のりを歩いてしまってから、自分の歩き方……自分の歩いてゆく方角について問う」ことが「思想」であり、その問いと答えがその人の思想を測る基準となる。逆に言えば、生まれついたときから自然に得ていた習慣に基づくものは思想の評価対象としては適切ではないし、時代の趨勢や背景といったものも、それ自体は思想の価値を決めるものではない。こうした理解は、鶴見の竹内好論と響き合う。

鶴見は竹内のキーワード「掙扎《そうさつ》」について、「掙扎……という中国語は、がまんする、堪える、もがく、などの意味をもっている。……強いて日本語に訳せば、今日の用語法では「抵抗」というのに近い」と竹内自身の註から引用する。その上で次のようにまとめている。

それは自分をとりまく現実を、自分の意のままにきりひらいてゆくことはむずかしいという判断を含んでいる。現実にながされながら、自分の意図を捨てず、自分の意図が状況によって洗われてゆくのを見るという考え方である。[*16]

戦時中の鶴見自身は、竹内の「同時代の状況の中での身もだえによって見るという考え方」とは異なり、「棒くい（原理）にすがるようにして、かろうじて生きていた」[*17]。だが戦後、この竹内の思想の評価軸は、鶴見の転向論のモチーフとも重なっていく。

東工大助教授時代、「倫理」の講義を持つかもしれない状況になって、鶴見は「恐怖」を感じた。以前紹介したように、自分を「悪人」だと考えていたからだ。そのとき、以下のような「倫理」の授業ならばできるかもしれないと考えたという。

なすべし、故になし能う、というふうに理想をかかげて説く倫理の講義は、私には自分をいつわることなしにできそうもない。そういうことをすると、自分の内部からくさってくるような気がした。むしろ、このようにしてかれらが倒れたそのおなじところに、自分自身が立つとしたらどうか、という仕方で、考えてゆくことはできないだろうか。

過を見てすなわちその仁を知るという論語の中の言葉について、私は、まちがった解釈をしているかもしれないが、私には、この言葉は、人間はかならず失敗する。それぞれの人のそれぞれなりの失敗のあとをゆっくり見ると、その人が生きようとした理想が、その失敗の断面から顔をあらわす。それによって、その人を見よう、という見方のすすめであるように思える。*18

この「失敗」を、戦争を止めることができなかった知識人たちの経験だと読めば、それは鶴見の転向論の視角となる。失敗それ自体が問題なのではなく、失敗の帰結に向かう大きな流れの中で、何を目指してどのように動いたのかが焦点だということだ。転向研究以来の鶴見の年下の「盟友」であった高畠通敏は、この鶴見の転向論のモチーフを次のように鋭く見抜いている。

あいまいな折衷主義者、彼［鶴見俊輔］があえてこう自称するとき、それはこの不確実な地点に立ちつづけようという積極的な決意を背後にひめている。なぜ、あいまいなのか。それは、彼が思想を、客観的な条件で規定されつくすものとも、主観的な決意でつらぬき通せるものとも、どちらとも思わないからだ。……人間にとってほんとうの思想問題は、こういう歴史的条件の中でゆれ動きながら、なおかつその中で自分の主体を守ろうという知的な努力の中にある

――私流に解釈すれば、これが鶴見がアメリカで学んだプラグマティズムを、日本の大衆の思想発掘の方法としてつかいこなしながらつくりあげていった思想ということの定義なのである。……／人間の思想の具体的な形を理解するためには、ひとはその規定性を追わなくてはならない。そのためには歴史、社会、性格、気質、生理にわたる近代実証科学の成果と手続きをくりぬけなくてはならない。しかし、それはあくまで〈条件〉を明らかにするだけである。そういう条件の中で営まれる個々の人間の主体的な知恵と努力、それは歴史的条件をはなれて、後の世代のものが学び利用することができる。その意味で、それは超歴史的なものであるばかりでなく、超民族的なものでもある。*19

歴史的背景や社会構造といった「規定性」は、ある人物の「条件」として切り離され、見方によっては免責される。そのために、鶴見らの転向論は「倫理からの脱色」などと批判された。だが注意すべきは、こうした鶴見の転向論（思想評価）は、「倫理」を全て切り捨てたものではない。それが大枠において「相対主義」に見えようとも、「条件」の中での「個々の人間の主体的な知恵と努力」を見出そうとするのは、鶴見にとっての重大な「倫理」であり、思想の評価軸であった。

「中動態」的主体

ここまで見てきた鶴見の思想観は、自己の全面的な能動性を前提としない。印象としては受け身なものに見える。だからといって、運命に規定されているかのように全て受動的な、仕方のないものと諦めるものでもない。能動でも受動でもないこの主体のあり方を捉える手がかりとなるが「中動態」だと筆者は考える。

近年、「中動態」という概念を目にする機会が増えた。國分功一郎の『中動態の世界』がその火付け役だろう。筆者は、「中動態」の議論を知ったとき、これまで論じてきたような鶴見俊輔の「主体性」のあり方を言い表してくれるものだと感じた。

中動態とは何か。文法の能動態／受動態の区別は周知のことだが、そのどちらでもない第三の「態」が中動態だ。古代ギリシア語においては受動態ではなく、能動態／中動態の対立だった。國分によれば、中動態が受動態に置き換わっていく過程と、「意志」概念の勃興には「平行性」があるという。意志の概念は、因果関係の起点を自己にとどめそれ以上の探索を「切断」する効果を持ち、「責任」概念を可能とする。中動態とは、こうした意志や責任の図式ではないあり方を示すものだと、國分は考えている。[20]

國分は中動態概念を手がかりにスピノザにおける能動／受動を解釈し、次のように述べる。

> われわれの変状がわれわれの本質によって説明できるとき、すなわち、われわれの変状がわれわれの本質を十分に表現しているとき、われわれは能動である。逆に、その個体の本質が外部からの刺激によって圧倒されてしまっている場合には、そこに起こる変状は個体の本質をほとんど表現しておらず、外部から刺激を与えたものの本質を多く表現していることになるだろう。その場合にはその個体は受動である。[21]

「変状」とは「ある物が何らかの刺激を受け、一定の形態や性質を帯びること」を指す。[*22]スピノザの思想においては「個物はたえず他の個物から刺激や影響を受けながら存在している」[*23]のだから、その状態に導いた契機や原因に見えるものの有無が能動／受動を決めるわけではない。「われわれの変状がわれわれの本質を十分に表現している」かどうかが分かれ目になる。このスピノザにおける「能動」のイメージが、中動態と重ねられる。人間は完全な能動を手に入れることはできない。それが可能なのは神のみである。[*24]だからといって能動性＝人間における自由が存在しなくなるわけではない。

先ほどの鶴見の転向論の図式で言えば、歴史的・社会構造的な「規定性」を無化できる人間はいない。だが、それにただ屈服するだけであれば、それは受動に終わる。その条件を踏まえてなお何事かをなそうとするとき、それは能動＝主体的であると言いうる。スピノザと鶴見の人間観を細部まで一致しているかのように論ずるのは適切ではないが、純粋に能動か受動かには割りきれない営為を捉えたいという点で、両者を重ねて考えることは可能だろう。

國分の中動態をめぐる論証の妥当性について本書は検証できないが、現在の社会で自明の前提とされる「意志」や「責任」を相対化するために國分はこの概念を再検討した。能動か受動かどちらかに回収しきれない、意志や責任の用語では解釈しきれない問題を指し示そうとするという点で、國分の中動態論に筆者は共感を覚える。

いずれにせよ、こうした主体性のイメージは、何も鶴見俊輔に限定されるものではない。筆者もまた、こうした世界観にもともとリアリティを感じており、そのことから鶴見の思想、そして中動態の議論に共感を抱いた。一個人の力で全く太刀打ちできないような時代あるいは世界の滔々たる流れは、人々を押し流していく。足を踏ん張りたくても個人で抵抗を完遂することは無理だろう。ならば全てを諦めてただ流れに呑み込まれていくべきか。いや、そうではないだろう。右手か左手かそれは時と場合によるが、ともかく少しでもどちらかの岸にたどり着くべく、体の向きを変え、手足をばたつかせることが、結果として何かをもたらす。ある程度の時間が経って初めて、それまでのもがきが、最初は無理だと思った位置の変化を引き起こしていることがありうる。もちろん努力の甲斐無く、それ以上の力で逆向きに押し流されたり、全くの無駄に終わることも多々あろう。だがそれは結果論にすぎない。全き主体性など存在し得ない。流されながらの微々たる変化にこそ主体性を見出さなければならないのではないか。改めて鶴見の言葉を引用しよう。

どうして戦争を生きのびたかわからない。自分がこうしたから生きのびられたという、自分の決断のときを思いうかべることができない。

偶然というものがある。しかし偶然の前に、戦争はいやだという自分なりの方向感覚があって、それが偶然とむきあう自分の態度をそのつどきめた。[*25]

あくまで流されながらの方向感覚に過ぎない。だがそれが自己と歴史をつくることになるのだろう。これはいささか消極的な世界観である。だが、そのことにこそ、現代社会における社会運動の糸口があると本書は考える。

4　ためらいつつの社会運動論

現代若者の政治意識

一九六〇年代まで、社会運動における若者の存在感は圧倒的だった。特に六〇年代末の学園闘争は、若者とは既成の体制に反逆する存在であるというイメージを強化した。

しかし一九七〇年代半ばには、学生運動の退潮を反映して「シラケ世代」などと命名されるようになる。それから半世紀が経過した現在では、あえて「シラケ」などと命名されることすらなく、政治的無関心は若者の初期設定《デフォルト》の特徴となっている。集団的自衛権容認の安保法制に対する「SEALDs」に注目が集まったのも、実に久々の若者による政治運動だったからだろう。

特に近年では、一部の「世論」として激しい安倍政権批判が展開された一方で、（たとえば二〇二〇年当時）一〇代や二〇代の政権支持率が高かったという指摘もあり、六〇年代の若者像と正反対になったことが改めて驚かれたりしていた。

こうした若者の政治的無関心、あるいは「保守化」の背景については、社会調査に基づく知見が提供されている。それらを踏まえて、筆者は次のように考える。

第一に、（二〇一〇年代の）安倍政権や自民党に対する若者の支持率の高さに関して、それまでの世代とは違う若者なりの評価軸や着眼点を見出そうとする議論もあろう。しかし端的に、知識の欠如やそもそもの関心のなさに由来する表層的な（軽薄な）支持ではないかと筆者は考える。

埼玉大学社会調査研究センターの松本正生は、二〇二〇年の論文「「不満もなく、関心もなく」、政治を意識しない若者たち」において、若者（この調査においては埼玉県さいたま市内の二〇一六—一九年の高校生）の政治への関心自体の衰弱を、次のように表現している。

これまでの結果を考え合わせると、政治社会の情報に関心を示さず、したがって政治の話をすることもなく、投票にも行かないという層が、確実かつ相応の固まりとして存在することがうかがわれる。しかも、それはじわじわと増大しつつあると推測できよう。[*26]

同時に、確かに「評価軸」自体の変貌も生じている。遠藤晶久とウィリー・ジョウの研究は、若者（この調査では三〇代以下）が他の世代と異なって日本共産党を「保守」、日本維新の会を「リベラル」寄りに位置づけたという知見を提示している。[*27] かれらのデータについて小熊英二は「若い世代が明確なイデオロギー軸を明確に持ちえていない」のではないかと手厳しい。[*28] なぜなら、この調査の発端となったエピソードには、若者が自身や他の政党の「イデオロギー位置」を尋ねられて「[回答を選択する]」マウスカーソルはふらふらと画面を彷徨い、回答に躊躇して」いたのに対し、「日本維新の会」は即断で「革新」と位置づけられた、というものがあり、[*29] 小熊はこれを引用した上で、「維新」の政党名に「新」の文字があったせいではないかと疑っている。

こうした踏み込んだ解釈の妥当性はともかくとしても、イデオロギー軸という共通了解の曖昧化は「政治の選択能力そのもの」を有権者から奪うことになろう。[*30] その曖昧化が特に進んだ若者において、政治は一層よくわからないものにしか見えていないだろうことは容易に想像できる。
第二に、しかし単に政治がよくわからないのであれば、与党支持に帰結する必然性はない。どれも支持しないとか、確率論的に各政党に分散することが起こっても良い。「よくわからない」からこそ「自民党（与党）を支持する」という回路の存在が予想される。
玉川透は朝日新聞のウェブサイト「GLOBE＋」の記事をまとめて『強権に「いいね！」を押す若者たち』という本を出した。同書は、世界的に権威主義体制への支持が高くなりつつある傾向を指摘し、日本における若者の政治意識についてもその枠組みで解釈しようとするが、それには疑問が残る。とはいえ、日本の若者に関する取材の知見は興味深い。

……メモをとる手がはたと止まった。Bさん［大学生］が続けて、こんな言葉を口にしたからだ。「そして、開票結果を見て、自分が多数派だったと分かったら、なんだか安心しました」／え？　多数派になっての安心感？　新鮮な感覚だった。*31

先に述べたように、「わからない」だけであれば与党を支持する理由にはならない。「わからない」と同時に自信も持てないがゆえに、マジョリティに加担することが「正解」だと考える。この「正解」は、もちろん選挙制度の存在意義からすれば意味がない。若者は「政治をわかっていない自分が社会に影響を与えてしまっていいのか」と考える。だが言うまでもなく、与党に票を与えることはそれまでとこれからの政策に信任を与えることになる。棄権も自分以外の人たちの投票行動を追認することにしかならない。投票結果という意味でも、政策の影響という点でも、否応なしに個人は政治にくみ込まれている。そうである以上、結果に何の責任も負わないという選択肢は実際には存在しない。ゆえに、若者の考える「正解」は、論理的には正解たり得ない。

運動を遠ざける冷笑主義

もっとも、若者の全てが、前述のような無関心・無知の状態にあるわけではない。社会に問題を見出し、その改善を願う人たちも少なくない。だが、それが社会運動に結びつくことは多くない（ゆえに、結果として現代日本で社会運動に関わる若者は少数にとどまる）。

社会運動の可視化自体が難しい社会では、どのように関わればいいかわからない、という事情はあるだろう。しかし、一足飛びに運動に参加せずとも、それに肯定的な関心を持つことはあっても良いはずだ。だが、その部分で意識としての社会運動への肯定を妨げる論理があるように思われる。若者の政治意識に関しての三点目、特に社会運動との関係で指摘したいのがこの問題だ。

本章冒頭で触れたように、社会運動は暴力的だというイメージが根強い。同時に、歴史的に失敗してきた、ゆえに無意味であるという刷り込みも強固だ。これらは社会運動の実際について十分な知識がないことも反映している。だが、暴力忌避の動機は別にしても、仮に失敗する可能性が高くとも、許せないこと（あるいは実現したいこと）のために声を上げるという行動自体に、自身が参加する可能性があっても良いのではないか。

ここで、若者が社会運動に現実に参加する可能性を思い浮かべる際に、先ほどの自信のなさが否定的な作用を及ぼしていると筆者には思われる。大学の授業やゼミでかつての社会運動の記録映像などを見せて学生の考えを聞くと、運動参加者への敬意や称賛が聞かれることは少なくない。特に、かつての大学生が果敢に運動に取り組む姿は、現代の学生にはまぶしく見える。だが、むしろまぶしすぎるようなのだ。

自分たちと同じような年齢の人々（当時の若者）が、政治への考えを抱いて行動にまで踏み切るのを立派だと思う一方で、政治に無知などころか関心すら持てない自分にはとても無理だと感じる。大学の授業へのコメントでしばしばこうした感想が見られる。

これが自己卑下型の反応だとすれば、当時の若者の「軽挙」を非難するやや攻撃的なタイプのコメントもある。かれらの運動イメージは、問題（たとえば反対運動の対象となっている法案など）への理解が不十分なまま、群集心理に呑まれて大騒ぎしていた、というものだ。

これら二種類のコメントは、運動への評価が肯定・否定に分かれるという意味では対照的だが、運動と自分とは関係ない、という結論は一致する。そしてその距離をつくり出す論理も同一である。すなわち、運動に参加するには政治的知識などの十分な能力がなければいけない、という前提だ。その能力が自分にはないからと身を引くのが自己卑下型で、現実の運動参加者がそれを欠いていると他者非難に走るのがもう一つの型だ。

「意識高い系」という言葉がこの論理をよく表現しているだろう。具体的に何を指して「意識高い」とレッテルを貼るのかは文脈に依存するが、それにしても「意識高い」ことが揶揄（または「敬して遠ざける」）の対象となること自体が、かれらを取り巻く状況のこじれ具合を示す。何か不適切な方向へと「意識高い」ことが問題なのであれば、その方向性が批判されるべき対象のはずだ。しかし、そうした具体的な批判はあまり見られない。自己啓発や政治性を回避したボランティア論などに筆者も違和感を感じることはあるが、「意識高い」こと自体が抑圧されるべきことではない。「意識高い系」のレッテルは、日本社会における出る杭の排除を意味するだけだろう。

このように、幾重もの溝に隔てられて、日本社会の若者は社会の変革に関わる運動と自己とを切り離していると考えられる。

後ろ向きの参加という処方箋

鶴見俊輔の社会運動論が特に光を放つのは、現在のこのような状況だろうと本書は考える。

本章が確認したように、鶴見が考える社会運動は、「主義」を抱いた人が積極的に新しい社会をつくり出そうとする営みではない。むしろ、やむにやまれず、政治の素人を含めて、押し流されながら関わるものだ。そこでは「愚俗の信」や「呪文」すら意味を持つ。ゆえに「政治についてわかっていないのに社会運動に参加するのはおかしい」という前提は無効だ。

そもそも「政治を理解する」ことが十全に達成されることなどあるのだろうか。完璧な知識や判断がなければ運動に関われないとすれば、既に関わっている者のほぼ全員が実は不適格者であろうし、今後もその資格を満たす者は現れないだろう。この理屈を前提にすれば、運動に関わらないのが「正解」になる。投票に影響を与えないために、多数派と思われる側に投票したり棄権したりするのが「正解」に思われるのも同様だ。しかしこの論理はおかしい。なぜなら、運動不参加者や投票棄権者が、運動や選挙に当面関わらないことの影響や効果を全て理解し尽くした上で撤退しているのかといえば、そんなわけはない。もし、わからないものには全て関わるべきでないとすれば、日常生活の様々な選択肢も全て保留しなければならなくなる。だが実際はそうなっていない。無知や無関心は仮に問われるとしても程度問題であり、まず行動してみることにも意味がある。

前章で取り上げた鶴見と吉本隆明の違いに、この論理の対決がよく映し出されている。吉本は「昼寝」の提唱で有名だが、それは政治的「過渡期」においては行動の「正解」は出ないことを前提に、資本主義を「揚棄」する理論以外は中途半端なまがい物として否定することを意味した。[*32] それに対して鶴見はそうした最終的・絶対的な理論を夢見ることはない。そうであるがゆえに、素朴な信念や日常感覚を頼りにまず行動から入ることの意義を擁護する。ここに鶴見のプラグマティズムが生きている。

実際の鶴見の行動も、六〇年安保闘争への関わりに見られるとおり、理論や政治的見通しがあって着手されたものではない。流れの中で「方向感覚」を意識したに過ぎないと言える。

さらに付け加えるならば、鶴見の主張が、マルクス主義とは距離を保ちながらなされたものであることも重要だ。近年、「社会主義」の復権が言われることもあるが、二〇世紀前半を席巻したマルクス主義がそのまま復権するようなことは考えられない。なぜなら、それは理論的・実践的にあまりに多くの過ちを伴ったものだったからだ。戦後日本の社会運動の歴史を古くさく無効なものとして丸ごと捨て去ろうとすべきではないが、その多くにマルクス主義がからみついていて、再評価が難しくなっていることもまた事実だ。多くの思想家・活動家の軌跡は、この点の総括をくぐらせる必要がある。

その点、鶴見はプラグマティズムとマルクス主義との相互補完は唱えたものの、[33]それとは別の地平に議論を立てようとした非共産主義が基本姿勢だった。そもそも、マルクス主義のような「真理」を体現する（とされた）理論を土台にしようとはせず、目の前の状況からそこに役立つ議論を組み立てるプラグマティズムに即して考えを述べ、行動しようとした。マルクス主義なき時代に社会運動を考えようとするのに、鶴見俊輔は重要な手がかりになるだろうと本書は考えている。

＊1 片桐新自、『社会運動の中範囲理論』、七三ページ
＊2 大畑裕嗣ほか編、『社会運動の社会学』、四ページ
＊3 『社会運動の社会学』、一〇四ページ
＊4 鶴見俊輔、「方法としてのアナキズム」、三八八ページ
＊5 「方法としてのアナキズム」、四〇〇ページ
＊6 鶴見俊輔、「市民集会の提案」、五三ページ
＊7 鶴見俊輔、「講演　戦時から考える」、二六六－七ページ
＊8 鶴見俊輔、『日常的思想の可能性』、二九五ページ
＊9 鶴見俊輔、「平和の思想」、一六〇ページ
＊10 鶴見俊輔ほか、「デモを語る」、二六七－二六八ページ
＊11 鶴見俊輔・上野千鶴子・小熊英二、『戦争が遺したもの』、三二〇－三二一ページ
＊12 「講演　戦時から考える」、二五三ページ
＊13 鶴見俊輔・井上ひさし、「笑う透明人間」、三〇八－三〇九ページ
＊14 鶴見俊輔、「大衆芸術の研究」、一九四ページ
＊15 鶴見俊輔、『私の地平線の上に』、二〇八－二〇九ページ
＊16 鶴見俊輔、『竹内好』、一七五ページ
＊17 『竹内好』、二二四ページ
＊18 『私の地平線の上に』、六〇ページ
＊19 高畠通敏、「解説」、四八二ページ
＊20 熊谷晋一郎・國分功一郎、『〈責任〉の生成』、第一章
＊21 國分功一郎、『中動態の世界』、二五六－二五七ページ
＊22 國分功一郎、『はじめてのスピノザ』、六四ページ
＊23 『中動態の世界』、二四六ページ
＊24 『中動態の世界』、二五八ページ
＊25 鶴見俊輔、「五十年・九十年・五千年」、六四ページ
＊26 松本正生、「「不満もなく、関心もなく」、政治を意識しな

い若者たち」、二四ページ

＊27　遠藤晶久／ウィリー・ジョウ、『イデオロギーと日本政治』、第五章

＊28　小熊英二、「総説　「右傾化」ではなく「左が欠けた分極化」」、二八ページ（註二五）

＊29　『イデオロギーと日本政治』、二四三ページ

＊30　「総説　「右傾化」ではなく「左が欠けた分極化」」、二三ページ

＊31　玉川透編、『強権に「いいね！」を押す若者たち』、二四ページ

＊32　松井隆志、「「自立の思想」とは何だったのか」

＊33　鶴見俊輔、「折衷主義の哲学としてのプラグマティズムの方法」

終章

鶴見俊輔を「現在《いま》」こそ読む

新型コロナウイルスの時代に

二〇二二年は鶴見俊輔の生誕百年目ということで、選集や鶴見論など、関連書籍がいくつか刊行された。そのことはつまり、当然にも、鶴見は百年以上前に生まれた人だということを意味する。没後すら十年近く経っている。鶴見を読むことは果たして「現在」に意味を持ちうるのだろうか。今さらながら疑問を抱くかもしれない。

私は、もちろん「意味はある」と考える。本書がこれまで論じてきたように、「社会運動」という特定のテーマについて鶴見が論じてきたことは有益だ、ということがまずある。しかし「社会運動」にとどまらず、それら議論を支える根底的な姿勢が、現在こそ改めて重要だと思える。

まず、鶴見生誕百年目であった二〇二二年は、二〇一九年末に始まった新型コロナウイルスによるパンデミック（以下、「パンデミック」とのみ記す）の四年目だった。その後、感染症としての分類が季節性インフルエンザと同等の5類に変更された二〇二三年以降もなお、事態は元通りになったとは言い難い。

パンデミックは様々なことを変えた。マスク着用が日常となり、人々が集まることや移動すること自体が感染拡大を招くとして、外食産業やイベント業界、観光業などが経済的に打撃を受けた。企業や学校では「オンライン」への適応を余儀なくされた。この変化は物質面・制度面にとどまらず、その内実を形作る人々の行動のあり方や生活の送り方を変えることになった。たとえば飲み会を楽しむ機会は著しく制限され、少数の会食すら忌避されるなど、交遊関係から生きがいを得ていた人たちの中には、孤独に苦しむ事態も生じた。

とはいえ私自身は、パンデミックによる仕事の急な変化（大学におけるオンライン授業）には苦しめられたことはあったにせよ、孤独を強く感じるといった変化には晒されなかった。もともと飲み会を楽しみにするような人間ではなかったため、むしろ各種の集まりが減ってホッとしたくらいだ（もとより、経済面・生活面の苦難に直面せずに済んだという前提は大きいが）。

鶴見俊輔は酒を嗜まなかったという。本人の文章や周囲の回想を見る限り、多くの人と交わり、丁寧な関係を続けていた人ではある。しかし、群れてワイワイ騒ぐという姿は想像できない。既に紹介したように、鶴見の根幹には鬱との親和性があり、ニヒリズムがある。鶴見はこのパンデミックを経験することなくこの世を去ったが、「人と会えなくて寂しい」といった発言は想像し難い。そもそも、人との交わりは否定しないだろうとはいえ、鶴見が文章で紹介してきた膨大なエピソードの多くは、実体験よりも書物に由来するものだ。鶴見と「対談」をした粉川哲夫は、軽い驚きをもって次のように書いている。

鶴見氏は本の人である。それは、十分に想像できることであったが、「対談」の最中に、片わらにならべた古今東西の書物を次々にとりあげ、さまざまな一篇を楽しそうに引用される姿を目のあたりにするのは、このときがはじめてだった。*1

本を読むことは、人と会えず街にも出にくい状況と比較的相性が良い。読書は、基本的に自分一人の営みだ。鶴見的生き方は、パンデミックにおいて打たれ強かっただろうと思える。

パンデミックは世界の先行きを不透明にした。感染症の世界的拡大自体は警告はされていたとはいえ、多くの人が思いもしなかった形で甚大な影響を与えた。将来の透明性が高く見える状況では、人びとの選択肢は限定されているように感じられ、その「ルール」に沿った努力が重視される。しかし、パンデミックは（ある部分では）突然「ルール」を変えてしまった。前述のような人間関係のつくり方を含め、いわば、何のために何をすべきなのか、根本的に考え直す必要性に迫られた。

そうした状況下では、鶴見俊輔の書いたものは心に響く。たとえば第2章で紹介した「一番病」批判。決められた正解に最速でたどり着く能力は、「ルール」自体が瓦解する状況では役に立たない。何を問題にすべきか自体から考え直すことの重要性を、鶴見は求めているのだと、パンデミック下で私は感じた。

「殺すな」の思想

現在における世界の不透明化という点で言えばもう一つ、二〇二二年二月に始まったロシアによるウクライナへの侵略戦争も大きな衝撃をもたらした。もとより、つい先頃（二〇二一年）米軍の撤退が完了したアフガニスタンをはじめ、仮に「戦争」の名で呼ばれなくとも、世界では戦争が続いていた。ウクライナについても、二〇一四年のロシアによるクリミア併合の延長線上で今回の戦争は起きている。

とはいえ、建前としてすら正当化できないようなあからさまな主権国家への侵略行為を目撃したことは、日本においても軍拡論議に影響を及ぼしたし、エネルギーや食糧供給の点でも、これまでの世界秩序を大きく揺さぶっている。

だが、ここで言いたいのはそうした国際関係・国際政治の問題というよりも、戦争それ自体についてである。第3章で見たとおり、鶴見は戦争反対に様々な論理がありうることは否定しないものの、「学問によってそう考えるようになったとか、世界情勢のニュースを分析してそう考えるようになった」[*2]といったことが出発点となるような反戦思想の弱さを指摘した。

鶴見が関わったべ平連は、「殺すな!」をスローガンとしていた。それと重なるように、鶴見にとっての戦争への態度は、自分が誰かを殺すことへの忌避が原点であり目標になっている。鶴見は、武装抵抗や戦争それ自体を必ずしも全面否定はしていない。たとえば、第1章で触れたアメリカ留学中に捕まった際の日米戦争への評価では、無政府主義者としての自分はどちらの政府も支持しないと述べたが、戦争自体はアメリカ側に相対的に理があることを認めている。ただ、自分自身が誰かを殺す可能性についてはこだわり、それを回避する可能性を広げようとした。べ平連における脱走兵援助活動への評価の高さも、そうした鶴見自身の問題意識に拠っているだろう。

こうした鶴見の戦争への態度、すなわち鶴見の反戦思想は、変化し続ける世界情勢の中にあっても、ぶれにくい判断基準を与えてくれる。今回のロシアによるウクライナへの侵略戦争において、ベトナム戦争のときと同様に、ウクライナの軍事的抵抗を支持しよう、あるいはより積極的に物資を含めた支援をすべしとの声が、これまで憲法九条を擁護してきたような人々からも聞かれるようになった。

主権国家同士の争いとして見た場合、ロシア政府・軍の侵略には正当性がなく、ウクライナ政府・軍の側に理があることは明らかだろうと私は受け取る。だが、国家代表としてではなく、一個人としてこの戦争に向き合うならば、「殺すな！」のスローガンを手放すべきとは思えない。ウクライナ軍がロシア軍を撃破することは、侵略を食い止めるという意味では肯定的な事態に見えるが、個人の立場で見ればウクライナ兵とともにロシア兵がますます殺されることを意味する。二者択一でどちらかが殺されなければならないという前提ならば、ウクライナ兵が殺されるよりは正当性があるのかもしれない。だが、国家が引き起こした戦争行為のために、個人が殺されてならないのはロシア兵においても同じだ。

「殺すな！」の立場に立つならば、戦争を避けてウクライナから脱出する人々と、ロシア兵として侵略行為に加担するのを忌避して（いわゆる「良心的」拒否者だけでなく、単に自分が殺されるのを嫌がることも含めて）投降・脱走する人々、あるいは兵士となる以前にロシアから脱出したり、ロシア国内で戦争を止めるために努力している人々を支えるのが、最も大切なことだと私には思える。防衛戦争だったとしても、国家の戦争を支えることは、権力を持たない人々が殺し殺される関係に置かれる事態を継続させることになってしまう。少なくとも私自身は、仮に戦争のただ中に置かれたとして、どちらの側であれ自分は銃を取ることができない。武器を手にしたところで真っ先に殺されると思うし、もちろん誰かを殺したくはない。自分にはできないことを、他人に強いることはできないと考える。

社会運動と改めて向き合う

だからこそ、政府が戦争を始めてしまう前に、それぞれの国の民衆が抵抗できるようになっていなければならない。「理不尽な命令がもし出されたら、そのときには反対する」という決意だけでは戦争を防げない。目の前の自由や権利が失われてしまうかもしれない可能性を見据えて、抵抗の「練習」を行い続ける必要がある。

これまで見てきたように、鶴見は、「政府への強い怒りを抱いて社会運動に参加してきた」とは言いがたい。晩年に「反動」や「ニヒリズム」を強調したように、社会運動による政治参加を貪欲に求めるタイプではなかった。平穏な日常を捨てて運動に参加するというより、「市民運動」で強調されてきたように、日常を守るためにこそ起ち上がる必要があると考えていたであろう。

日本を例外にして、世界では社会運動は重要な意義を持つものと考えられ、各地で様々なテーマに即して取り組まれてきた。パンデミックや戦争といった不透明化の増す時代はなおさら、対立や衝突は激しくなり、非制度的な営みである社会運動が求められる局面も増える。日本も、これまでのように例外ではいられないというのが私の考えだ。

「そうは言っても、自分が社会運動に関わるのは考えられない」と多くの人が思うかもしれない。社会に対して異議を申し立てるなど、政治についてそこまでの強い関心は持っていないし、事を荒立てたくない、と。だが、これまで見てきたように、鶴見の運動への参加は、イメージされがちな社会運動像からは遠い。確かに、デモはもとより、ハンストや座り込みなど、鶴見は激しい運動も辞さなかった。その一方で、そうした運動が日常と地続きであることを求めた。第2章で紹介した「すわりこみまで」より、改めて引用しておこう。

しゃべるというのは、戦後の日本では十分に尊重されてはいないものの、ともかくひろくゆるされている意見の発表形式である。この形式を、自由に、最大限に活用することが望ましい。しかし同時に、しゃべりつかれたあとの気おちをどうするのか。しゃべることの意味が、何かの仕方で、他人とはいわないまでも、すくなくとも自分の生活の中にしみとおり、それをかえてゆくことがないと、しゃべることのあとにくる反動がひどさをましてきて、やがて、しゃべることをやめることになりかねない。しゃべること以上のところにふみだすことが、しゃべることを保つためにも必要だ。私たちの日常の生活を通して、しゃべることの意味を別の仕方で表現ができればいいのだが。[*3]

恐る恐るであれ、後ろ向きですらあっても、社会につながることは必要な場面はあるし、それは可能だ。それを実践したのが鶴見俊輔だった、というのが本書の主張だ。そのための手がかりを与えてくれるものとして、鶴見の文章を読むことは、今なお有益だと私は考える。

＊1　鶴見俊輔・粉川哲夫、『思想の舞台』、二〇三ページ
＊2　鶴見俊輔、「平和の思想」、一五九ページ
＊3　鶴見俊輔、『日常的思想の可能性』、二九五ページ

参考文献

［鶴見俊輔の文献（刊行年順）］

鶴見俊輔［一九四六］「哲学の反省」、『鶴見俊輔著作集1　哲学』［一九七五］、筑摩書房

鶴見俊輔［一九五〇］『アメリカ哲学』、『鶴見俊輔著作集1　哲学』［一九七五］、筑摩書房

鶴見俊輔［一九五二］「大衆芸術の研究」、鶴見俊輔『限界芸術論』所収

鶴見俊輔［一九五六］「折衷主義の哲学としてのプラグマティズムの方法」、『鶴見俊輔著作集1　哲学』［一九七五］、筑摩書房

鶴見俊輔［一九五九］『誤解する権利——日本映画を見る』、筑摩書房

鶴見俊輔［一九六〇ａ］「いくつもの太鼓のあいだにもっと見事な調和を」、『鶴見俊輔著作集5　時論・エッセイ』［一九七六］、筑摩書房

鶴見俊輔［一九六〇ｂ］「市民集会の提案」、『鶴見俊輔著作集5　時論・エッセイ』［一九七六］、筑摩書房

鶴見俊輔［一九六七ａ］『日常的思想の可能性』、筑摩書房

鶴見俊輔［一九六七ｂ］『限界芸術論』、勁草書房

鶴見俊輔・丸山真男［一九六七］「普遍的原理の立場」、鶴見俊輔編『語りつぐ戦後史　上』［一九七五］、講談社（講談社文庫）

鶴見俊輔・吉本隆明［一九六七］「どこに思想の根拠をおくか」、鶴見俊輔『鶴見俊輔座談　思想とは何だろうか』［一九九六］、晶文社

鶴見俊輔ほか［一九六七］「デモを語る」、鶴見俊輔『鶴見俊輔対話集　同時代』［一九七一］、合同出版

鶴見俊輔［一九六八ａ］「私の母」、『鶴見俊輔著作集5　時論・エッセイ』［一九七六］、筑摩書房

鶴見俊輔［一九六八ｂ］「平和の思想」、『鶴見俊輔著作集5　時論・エッセイ』［一九七六］、筑摩書房

鶴見俊輔［一九七〇］「方法としてのアナキズム」、『鶴見俊輔著作集3　思想Ⅱ』［一九七五］、筑摩書房
鶴見俊輔［一九七一］『北米体験再考』、岩波書店（岩波新書）
鶴見俊輔［一九七二］「素材と方法――『思想の科学』の歴史の一断面」、『鶴見俊輔著作集3　思想Ⅱ』［一九七五］、筑摩書房
鶴見俊輔［一九七四］「ひとつのはじまり――あるいは、ベ平連以前」、ベトナムに平和を！　市民連合編『資料・「ベ平連」運動　上巻』河出書房新社
鶴見俊輔・井上ひさし［一九七四］「笑う透明人間」、鶴見俊輔『鶴見俊輔対話集　戦争体験』所収
鶴見俊輔［一九七五ａ］『私の地平線の上に』、『鶴見俊輔集8　私の地平線の上に』所収
鶴見俊輔［一九七五ｂ］「吉本隆明」、『鶴見俊輔著作集2　思想Ⅰ』［一九七五］、筑摩書房
鶴見俊輔・吉本隆明［一九七五］「思想の流儀と原則」、鶴見俊輔『鶴見俊輔座談　思想とは何だろうか』［一九九六］、晶文社
鶴見俊輔［一九七六］『いくつもの鏡――論壇時評 1974-1975』、朝日新聞社
鶴見俊輔・安丸良夫［一九七七］「日本の思想と民衆思想」、鶴見俊輔『鶴見俊輔対話集　戦争体験』所収
鶴見俊輔・司馬遼太郎［一九七九］「「敗戦体験」から遺すべきもの」、鶴見俊輔『鶴見俊輔対話集　戦争体験』所収
鶴見俊輔［一九八〇］『鶴見俊輔対話集　戦争体験――戦後の意味するもの』、ミネルヴァ書房（叢書・同時代に生きる②）
鶴見俊輔・粉川哲夫［一九八五］『思想の舞台――メディアへのダイアローグ』、田畑書店
鶴見俊輔［一九八七］「講演　戦時から考える」、鶴見俊輔『鶴見俊輔集8　私の地平線の上に』所収
鶴見俊輔［一九九一ａ］『鶴見俊輔集8　私の地平線の上に』、筑摩書房
鶴見俊輔［一九九一ｂ］『戦時期日本の精神史――一九三一－一九四五年』、岩波書店（同時代ライブラリー）
鶴見俊輔［一九九七ａ］『期待と回想　上下』、晶文社
鶴見俊輔［一九九七ｂ］「五十年・九十年・五千年」、黒川創編『鶴見俊輔コレクション2　身ぶりとしての抵抗』［二

〇一二〕、河出書房新社（河出文庫）
鶴見俊輔・上野千鶴子・小熊英二〔二〇〇四〕『戦争が遺したもの――鶴見俊輔に戦後世代が聞く』、新曜社
鶴見俊輔・加藤典洋・黒川創〔二〇〇六〕『日米交換船』、新潮社
鶴見俊輔〔二〇〇七〕『たまたま、この世界に生まれて』、編集グループＳＵＲＥ
鶴見俊輔〔二〇〇九〕『言い残しておくこと』、作品社
鶴見俊輔・上坂冬子〔二〇〇九〕『対論・異色昭和史』、ＰＨＰ研究所（ＰＨＰ新書）
鶴見俊輔〔二〇一〇ａ〕『思い出袋』、岩波書店（岩波新書）
鶴見俊輔〔二〇一〇ｂ〕『竹内好――ある方法の伝記』、岩波書店（岩波現代文庫）
鶴見俊輔〔二〇一五〕『「思想の科学」私史』、編集グループＳＵＲＥ

［**鶴見俊輔以外の文献**（五〇音順）］

天野正子・安田常雄編〔一九九二〕『戦後「啓蒙」思想の遺したもの』、久山社
上原隆〔一九九〇〕『「普通の人」の哲学――鶴見俊輔・態度の思想からの冒険』、毎日新聞社
江藤淳〔一九八八〕『「戦艦大和ノ最期」初出の問題』、『落葉の掃き寄せ　一九四六年憲法――その拘束』、文藝春秋
遠藤晶久／ウィリー・ジョウ〔二〇一九〕『イデオロギーと日本政治――世代で異なる「保守」と「革新」』、新泉社
大井浩一〔二〇一〇〕『六〇年安保――メディアにあらわれたイメージ闘争』、勁草書房
大畑裕嗣ほか編〔二〇〇四〕『社会運動の社会学』、有斐閣（有斐閣選書）
小熊英二〔二〇〇二〕『〈民主〉と〈愛国〉――戦後日本のナショナリズムと公共性』、新曜社
小熊英二〔二〇二〇〕「総説　「右傾化」ではなく「左が欠けた分極化」」、小熊英二・樋口直人編『日本は「右傾化」したのか』、慶應義塾大学出版会
小熊英二編〔二〇一三〕『原発を止める人々――3・11から官邸前まで』、文藝春秋

小田実［一九六五］「「難死」の思想」、『「難死」の思想』［二〇〇八］、岩波書店（岩波現代文庫）
小田実［一九七二］『世直しの倫理と論理　上』、岩波書店（岩波新書）
小田実［一九九五］『「ベ平連」・回顧録でない回顧』、第三書館
小田実［二〇〇七］『中流の復興』、日本放送出版協会（生活人新書）
片桐新自［一九九五］『社会運動の中範囲理論』、東京大学出版会
川上賢一・黒川創・小泉英政［二〇一七］『鶴見俊輔さんの仕事⑤　なぜ非暴力直接行動に踏みだしたか』、編集グループSURE
菅孝行［一九八〇］『鶴見俊輔論』、第三文明社
木村倫幸［二〇〇五］『鶴見俊輔ノススメ――プラグマティズムと民主主義』、新泉社
熊谷晋一郎・國分功一郎［二〇二〇］『〈責任〉の生成――中動態と当事者研究』、新曜社
黒川創［二〇一八］『鶴見俊輔伝』、新潮社
黒川創・南伸坊［二〇一五］「思想家として、編集者として」、『現代思想　総特集＝鶴見俊輔』第四三巻一五号、青土社
声なき声の会編［一九六二］『またデモであおう――声なき声の二年間』、東京書店
粉川哲夫［二〇一五］「存在への耄碌」、『現代思想　総特集＝鶴見俊輔』第四三巻一五号、青土社
國分功一郎［二〇一七］『中動態の世界――意識と責任の考古学』、医学書院
國分功一郎［二〇二〇］『はじめてのスピノザ――自由へのエチカ』、講談社（講談社現代新書）
小中陽太郎［一九七三］『私のなかのベトナム戦争――ベ平連に賭けた青春と群像』、サンケイ新聞社出版局
小中陽太郎［二〇〇八］『市民たちの青春――小田実と歩いた世界』、講談社
小林トミ［一九六〇］「〝声なき声〟の行進」、『思想の科学』一九六〇年七月号、中央公論社
小林トミ［二〇〇三］『「声なき声」をきけ――反戦市民運動の原点』、同時代社

関谷滋・坂元良江編［一九九八］『となりに脱走兵がいた時代——ジャテック、ある市民運動の記録』、思想の科学社
高草木光一［二〇二三］『鶴見俊輔　混沌の哲学——アカデミズムを越えて』、岩波書店
高畠通敏［一九七五］「解説」、鶴見俊輔『鶴見俊輔著作集2　思想I』、筑摩書房
谷川嘉浩［二〇二二］『鶴見俊輔の言葉と倫理——想像力、大衆文化、プラグマティズム』、人文書院
玉川透編［二〇二〇］『強権に「いいね！」を押す若者たち』、青灯社
都筑勉［一九九五］『戦後日本の知識人——丸山眞男とその時代』、世織書房
都留重人［二〇〇一］『いくつもの岐路を回顧して——都留重人自伝』、岩波書店
鳥羽耕史［二〇一〇］『一九五〇年代——「記録の時代」』、河出書房新社（河出ブックス）
豊下楢彦［二〇一五］『昭和天皇の戦後日本——〈憲法・安保体制〉にいたる道』、岩波書店
中西新太郎［二〇一九］『若者は社会を変えられるか？』、かもがわ出版
原田達［二〇〇一］『鶴見俊輔と希望の社会学』、世界思想社
林博史［二〇〇五］『BC級戦犯裁判』、岩波書店（岩波新書）
樋口直人・松谷満編［二〇二〇］『3・11後の社会運動——8万人のデータから分かったこと』、筑摩書房（筑摩叢書）
日高六郎編［一九六〇］『一九六〇年五月一九日』、岩波書店（岩波新書）
平井一臣［二〇二〇］『ベ平連とその時代——身ぶりとしての政治』、有志舎
藤野寛［二〇〇九］「「言葉の力」をめぐる考察——第二次世界大戦直後の言語表現／言語批判」、『思想』第一〇二一号、岩波書店
松井隆志［二〇〇九］「「市民」概念の歴史的再検討」、『ソシオロジスト』通巻第一一号、武蔵社会学会
松井隆志［二〇一二］「「自立の思想」とは何だったのか」、『現代思想　総特集＝吉本隆明の思想』第四〇巻八号、青土社
松井隆志［二〇一四］「運動のつくり方の知恵——ベ平連・鶴見俊輔・プラグマティズム」、『現代思想　特集＝戦争の

正体』第四二巻一五号、青土社
松井隆志［二〇一五a］「鶴見プラグマティズムの一つの帰結」、『現代思想　特集＝いまなぜプラグマティズムか』第四三巻一一号、青土社
松井隆志［二〇一五b］「戦争反対の根拠」、『現代思想　総特集＝鶴見俊輔』第四三巻一五号、青土社
松井隆志［二〇一五c］「鶴見俊輔――後ろ向きの前進」、大井赤亥・大園誠・神子島健・和田悠編『戦後思想の再審判――丸山眞男から柄谷行人まで』、法律文化社
松井隆志［二〇一六］「一九六〇年代と「ベ平連」」、『大原社会問題研究所雑誌』六九七号、法政大学大原社会問題研究所
松井隆志［二〇二二］「変化する政治」、菊地英明・千田有紀編『グローバリゼーションと変わりゆく社会』、北樹出版
松本正生［二〇二〇］「「不満もなく、関心もなく」、政治を意識しない若者たち――高校生政治意識調査（2016・17・19）から」、埼玉大学社会調査研究センター編『政策と調査』第一八号
丸山真男［一九八二］『後衛の位置から――『現代政治の思想と行動』追補』、未來社
武藤一羊［二〇〇九］「花崎皋平さんとの交流を軸に運動史をふりかえる――「共労党」・「ベ平連」そしてその後」、『季刊 運動〈経験〉』第二八号
室謙二［二〇一五］「白塗りの正義と素顔の中の狂気」、『現代思想　総特集＝鶴見俊輔』第四三巻一五号、青土社
室謙二編［一九七六］『金芝河――私たちにとっての意味』、三一書房（三一新書）
吉川勇一［一九九一］『市民運動の宿題――ベトナム反戦から未来へ』、思想の科学社
吉田敏浩ほか［二〇一四］『検証・法治国家崩壊――砂川裁判と日米密約交渉』、創元社
吉本隆明［一九六〇］「擬制の終焉」、谷川雁ほか『民主主義の神話』、現代思潮社
和田悠［二〇〇五］「鶴見俊輔と「思想の科学」の一九五〇年代――戦後啓蒙の思想的転回に関する一考察」、有末賢・関根政美編『戦後日本の社会と市民意識』、慶應義塾大学出版会

今だからこそ読みたい「鶴見俊輔と社会運動」関連書籍

……松井隆志

まず、鶴見俊輔自身の著作物に関して。鶴見俊輔の著作集は二種類ある。一つは、一九七五―一九七六年までの文章をジャンル別にまとめた筑摩書房の『**鶴見俊輔著作集**』全五巻。もう一つは、一九九一年から二〇〇一年にかけて刊行書籍を軸に編み直されたもので、同じ筑摩書房より『**鶴見俊輔集**』全一七巻（正一二巻・続五巻）が出された。また、『**鶴見俊輔座談**』全一〇巻が晶文社から、『**鶴見俊輔書評集成**』全三巻がみすず書房から出されている。河出文庫からは**黒川創**編『**鶴見俊輔コレクション**』全四巻も出ている。

鶴見俊輔を論じたものについては、本文序章の注5で並べた書籍が主要なものだろう。これらは鶴見の発想全体を知るためには有益だが、社会運動との関連は総じてあまり大きく扱われていない。また、そこでも述べたように、鶴見の評伝としては**黒川創**『**鶴見俊輔伝**』が詳細であるが、同書でも、一九六〇年代の社会運動についての記述は鶴見自身が書いている内容以上には踏み込んでいないようだ。ちなみに、他に自伝的な書籍としては、『**期待と回想　上下**』（晶文社、後に朝日文庫、ちくま文庫）や『**戦争が遺したもの**』（新曜社）などがある（どちらも聞き取り）。

そういうわけで、鶴見自体については前述の書籍から自由に読んでいただくことにして、本欄では、「鶴見俊輔と社会運動」の側面が手薄であることを踏まえ、鶴見理解を深めるために有益な、社会運動側の文献について紹介したい。

まず、一九六〇年代の幕開けとなった六〇年安保闘争については、鶴見自身も執筆している**日高六郎**編『**一九六〇年五月一九日**』（岩波新書）が基本文献だろう。とはいえ、六〇年安保闘争直後に出された同書は、闘争の記録ではあるが冷静な分析とは言えない。その点で、同書の相対化や「市民運動」の位置づけなどについては、**松井隆志「六〇年安保闘争とは何だったのか」**（岩崎稔ほか編『戦後日本スタディーズ 2』紀伊國屋書店所収）が、簡便な理解のために有益だと自負する。

そして、六〇年代中盤以降に鶴見が参加した運動としてベ平連がある。鶴見俊輔との関係性（対立など）も含めて、第3章でも引用した**小田実『「ベ平連」・回顧録でない回顧』**（第三書館）は、ベ平連「代表」による貴重な「回顧」だ。また、六〇年安保闘争からベトナム反戦運動へとつながる「声なき声の会」からの証言として、**小林トミ『「声なき声」をきけ』**（同時代社）も重要だろう。同書からは「マジメ市民」の中の微妙な違いも浮かび上がる。研究としては、**平井一臣『ベ平連とその時代』**（有志舎）が、ベ平連初期の鶴見俊輔のノート（立教大学共生社会研究センター所蔵）なども活用しながら、ベ平連の特に前半期（一九六〇年代まで）の動きの全体像を示してくれる。ちなみに、マルクス主義者も含めたベ平連の「三つの源流」を強調するのは筆者（松井）のこだわりであり、「新左翼／ニューレフト」概念の問題も含め、**松井隆志「一九六〇年代と「ベ平連」」**（『大原社会問題研究所雑誌』六九七号所収）で論じている。

一方、ベ平連のもう一つの顔として、脱走米兵援助活動を欠かすことはできない。少なくとも鶴見は、この活動を終生高く評価していた。同活動については、**坂元良江・関谷滋編『となりに脱走兵がいた時代』**（思想の科学社）が関係者の証言を集めた労作である。また、ベ平連自体ではないにせよ、鶴見が周辺グループをつくって非暴力直接行動を実践していたことも重要なのだが、これまで十分論じられてこなかった。本文でも触れたとおり、**川上賢一・黒川創・小泉英政『鶴見俊輔さんの仕事⑤なぜ非暴力直接行動に踏み出したか』**（編集グループＳＵＲＥ）がその活動について貴重な証言を記録してくれている。ちなみに、編集グループＳＵＲＥによるこの『鶴見俊輔さんの仕事』シリーズ全五巻は、鶴見俊輔を論じる際にこれまで大きく取り上げられてこなかった諸活動をとりあげており、「ハンセン病」・「兵士の人権を守る活動」・「雑誌『朝鮮人』」・「非暴力直接行動」と、どのテーマも（「編集」の巻以外は）「鶴見俊輔と社会運動」の深い結び付きを実感させる。

最後に、必ずしも「社会運動側の文献」というわけではないが、吉本隆明との背中合わせの関係については、二〇二二年に**鶴見俊輔・吉本隆明『思想の流儀と原則』**（中央公論新社）が出された。これは、両者の対談およびそれぞれを評した論考を集めた書籍で、新たに編集されたものだ。刊行意図は必ずしも明らかではないが、同書を読めば両者の対立が改めてよくわかる。とはいえ、その共通性（あるいは同時代の他の論者との比較）については「解説」でも十分掘り下げられておらず、本書第3章の議論にも意義はまだあると言えるだろう。

あとがき

鶴見俊輔を実際に見た（話を聞いた）ことが二回だけある。

最初は確か二〇〇〇年代はじめ、国民文化会議の解散集会だった。その日の講師だった鶴見が、「谷川雁の問題提起を果たして活かすことができたか」と怒り気味に話していた姿が記憶に残っている。実は、この日の私の目当ては、久しぶりに日本で発言した日高六郎だった。鶴見に対しては、よくわからない話をする人だという印象が残った。

二度目は、ベ平連の流れを汲む「市民の意見30の会・東京」の二〇〇五年の講演集会だった。この時は単なる聴衆ではなく、関係者の声がけで講師誘導等の手伝い要員として参加した。とはいえ、鶴見との個人的な会話はなかった。そして前回同様、印象深かったのは講師の一人だった小田実の話の方で、鶴見の講演に特に良い印象はなかった（講演記録は同会のニュースの第九〇号に掲載され、現在オンライン上でも読める）。

二回だけ講演を聞いたことがあるというのは、私の鶴見への距離感をよく示していると思う。世代的にも祖父母くらい離れていたし、お近づきになりたいと願うようなファンでもなかった。にもかかわらず、自分の問題意識を掘り下げようとすると、その存在を避けることはできない。本書は、そういう関係意識を抱いていた人間が、改めて学びつつ書いた鶴見俊輔論である。

国民文化会議の集会があることを私に教えてくれたのは上野千鶴子さんだった。社会学を選んだ大学三年時から大学院まで、上野さんに指導教授を引き受けていただいた。現在の私がかろうじて研究者・大学教員として働けるのは、言うまでもなく上野さん（および上野ゼミ）のおかげだ。ちなみに、上野さんの紹介で、鶴見へのインタビュー本『戦争が遺したもの』（新曜社）の録音起こしにも加わっている。鶴見論を書いた今から振り返れば、鶴見の「生」の声を浴びることができた貴重な機会だった。

一方、二〇〇五年の講演集会への手伝いを誘ってくれたのは天野恵一さんだ。天野さんとはおよそ月一回の「戦後研究会」を、四半世紀近く一緒に続けてきた。同研究会では、思想と運動の歴史を踏まえた本の「読み方」について、天野さんから多くを教わった。また、旧べ平連関係者へのインタビューに誘ってもらうなど、天野さんを通じて様々な交流の機会を持つことができた。

誰より謝意を伝えたかった（意外な組み合わせの）お二人が、二回限りの鶴見俊輔との接点をそれぞれ作ってくれたというのは、偶然にしては話ができすぎている。何はともあれ、これまでのご指導に感謝します。

本書ができるまでには、他にも多くの人の助力が必要だった。友人・知人の代表として、特に箱田徹さんに感謝したい。今回も温かな励ましと有益なコメントをもらうことができた。

「参考文献」に載せたとおり、これまでに何本かの鶴見論を発表する機会があった。本書はそれらを踏まえつつも新たに書き下ろした。本書の土台となった原稿の際にお世話になった方々に、改めてお礼申し上げる。そして、なかなか書き進まない今回の原稿をめぐって、編集者の中西豪士さんには多大な迷惑をかけた。見捨てることなく完成まで導いてくれて、ありがとうございました。

　鶴見俊輔の書き残したものは膨大かつ多様であるため、自分が見たい「鶴見像」を都合よく浮かび上がらせることも案外難しくないのかもしれない。本書がそうした鶴見論にとどまるのかどうか、ご批判いただきたい。

　それ以外にも、本書の難点は多々あるにちがいない。それでも、日本の社会運動に対して、本書が少しでも役立つことがあれば嬉しい。

二〇二四年一月　松井隆志

松井隆志（まつい・たかし）

1976年、千葉県生まれ。

東京大学大学院人文社会系研究科博士課程単位取得退学。

現在、武蔵大学社会学部教員。専門は社会運動論、戦後日本の歴史社会学。

著書に『戦後日本スタディーズ2』（2009年、紀伊國屋書店、共著）、『戦後思想の再審判』（2015年、法律文化社、共著）、共編著に『社会運動史研究1〜5』（2019〜2023年、新曜社）など。

いま読む！名著
流《なが》されながら　抵抗《ていこう》する　社会運動《しゃかいうんどう》
鶴見俊輔『日常的思想の可能性』を読み直す

2024年2月29日　第1版第1刷発行

著者	松井隆志
編集	中西豪士
発行者	菊地泰博
発行所	株式会社現代書館 〒102-0072 東京都千代田区飯田橋3-2-5 電話 03-3221-1321　FAX 03-3262-5906　振替 00120-3-83725 http://www.gendaishokan.co.jp/
印刷所	平河工業社（本文）　東光印刷所（カバー・表紙・帯・別丁扉）
製本所	積信堂
ブックデザイン・組版	伊藤滋章

校正協力：高梨恵一
©2024 Takasi MATUI　Printed in Japan　ISBN978-4-7684-1022-6
定価はカバーに表示してあります。乱丁・落丁本はおとりかえいたします。

活字で利用できない方のための
テキストデータ請求券
『流されながら
抵抗する
社会運動』

井上義朗　「新しい働き方」の経済学　アダム・スミス『国富論』を読み直す

井上隆史　「もう一つの日本」を求めて　三島由紀夫『豊饒の海』を読み直す

坂倉裕治　〈期待という病〉はいかにして不幸を招くのか　ルソー『エミール』を読み直す

沖　公祐　「富」なき時代の資本主義　マルクス『資本論』を読み直す

番場　俊　〈顔の世紀〉の果てに　ドストエフスキー『白痴』を読み直す

寺田俊郎　どうすれば戦争はなくなるのか　カント『永遠平和のために』を読み直す

小林大州介　スマートフォンは誰を豊かにしたのか　シュンペーター『経済発展の理論』を読み直す

内田亮子　進化と暴走　ダーウィン『種の起源』を読み直す

森　一郎　核時代のテクノロジー論　ハイデガー『技術とは何だろうか』を読み直す

荒川敏彦　「働く喜び」の喪失　ヴェーバー『プロテスタンティズムの倫理と資本主義の精神』を読み直す

板橋勇仁　こわばる身体がほどけるとき　西田幾多郎『善の研究』を読み直す

今後の予定…………夏目漱石『明暗』、ホッブズ『リヴァイアサン』、ニーチェ『愉しい学問』

各2200円＋税　定価は2024年2月1日現在のものです。

今だからこそ「日本」をもう一度考える！

「いま読む！名著」ピックアップ

岩田重則
『日本人のわすれもの』
宮本常一『忘れられた日本人』を読み直す

田中和生
『震災後の日本で戦争を引きうける』
吉本隆明『共同幻想論』を読み直す

井上隆史
『「もう一つの日本」を求めて』
三島由紀夫『豊饒の海』を読み直す

板橋勇仁
『こわばる身体がほどけるとき 』
西田幾多郎『善の研究』を読み直す